Dewch i Ginio

Argraffiad cyntaf: Rhagfyr 1993

Lluniau lliw a llun y clawr blaen: Richard Wyn Huws
Lluniau du-a-gwyn: Aled Rees Jones

Diolch i Sheila Williams am deipio'r llawysgrif.
Diolch i Wil a Sue o Langwnnadl am fenthyg eu cegin.

Rhif Llyfr Rhyngwladol: 0 86243 307 X

Argraffwyd a chyhoeddwyd yng Nghymru
gan Y Lolfa Cyf., Talybont, Ceredigion SY24 5HE;
ffôn (0970) 832 304, *ffacs* 832 782;
rhwymwyd yng Nghymru gan WBC, Penybont-ar-Ogwr.

Dewch i Ginio

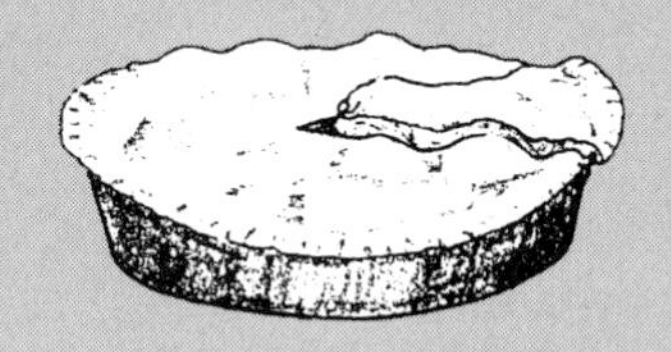

VALERIE LLOYD ROBERTS

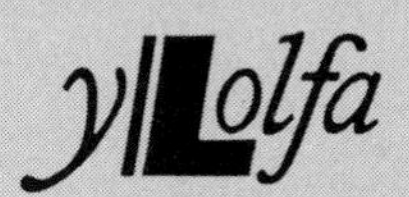

I gofio am
fy nhad a'm mam
a fu mor barod i wrando
ar fy syniadau breuddwydiol
bob amser

Tybiaf fod tebygrwydd rhwng pryd o fwyd arbennig a stori dda—mae angen i'r dechreuad godi awch am fwy—mae angen i'r prif ran eich digoni—ac mae angen i'r diweddglo ei wneud yn brofiad bythgofiadwy.

CYNNWYS

Pwdinau:

Llysiau:

Bwydlysiau:

Rhan 2—DEWCH I GINIO GYDA'R TEULU 113

GEIRFA

Addas—*suitable*
Addasu—*adapt*
Anelu—*aim*
Annog—*urge*
Ansawdd—*quality*
Blas—*taste*
Braster—*fat*
Cogyddion—*cooks*
Creadigol—*creative*
Cyflymach—*quicker*
Cyffrous—*exciting*
Cymell—*urge*
Cynnwys—*include*
Cynnyrch Cymreig—*Welsh produce*
Darllenadwy—*readable*
Defnyddio—*use*
Deniadol—*attractive*
Diddorol—*interesting*
Dilyn—*follow*
Geirfa—*vocabulary*
Haws—*easier*
Hufen—*cream*
Llysieuwyr—*vegetarians*
Magu llwch—*gathering dust*
Marchnata—*to market*
Menyn—*butter*
Mwynhau—*enjoy*
Olew—*oil*
Plesio—*please*
Profiadol—*experienced*
Rhagair—*preface*
Ryseitiau—*recipes*
Ryseitiau coginio sylfaenol—*basic cooking recipes*
Saig—*dish*
Syml—*easy*

RHAGAIR

DYLAI'R LLYFR HWN blesio amrywiaeth o bobl. I'r rheini sy'n dechrau coginio, mae'r rhan fwyaf o'r ryseitiau yn ddigon syml i'w dilyn. Ceir yn y llyfr, ryseitiau bob dydd a ryseitiau ar gyfer cinio dydd Sul traddodiadol. I'r rhai hynny sy'n brofiadol yn y maes, rwyf wedi cynnwys llawer o ryseitiau newydd sbon gan obeithio y gwnewch eu mwynhau a'u hystyried yn ddiddorol a blasus. Yn olaf, i'r rhai yn eich plith sy'n prynu llyfrau coginio i'w darllen yn unig, gobeithio y bydd hwn yn ddarllenadwy a deniadol. Mawr obeithiaf na fydd yn eistedd yn rhy hir ar y silff yn magu llwch.

Llyfr i'w fwynhau yw hwn ac i'ch cymell i fod yn gogyddion cyffrous a chreadigol. I weddu i'r oes brysur sydd ohoni, rwyf wedi addasu rhai o'r ryseitiau coginio sylfaenol er mwyn eu gwneud yn haws ac yn gyflymach i'w paratoi.

Credaf mewn defnyddio bwydydd ffres o'r ansawdd gorau bob amser. Fe welwch o'r ryseitiau fy mod yn defnyddio cynnyrch lleol a chynnyrch Cymreig pan fo modd. Ar y cyfan rhai sâl ydym ni fel Cymry (yn wahanol i genhedloedd eraill) am farchnata ein cynnyrch ein hunain.

Nid yw'r llyfr wedi ei anelu yn arbennig at lysieuwyr ond mae llawer saig sydd yn addas ar eu cyfer a gellir addasu eraill yn ddigon didrafferth.

Defnyddiaf gryn dipyn o hufen a menyn yn y ryseitiau. Y rhain sydd yn rhoi y blas gorau ond os ydych am leihau'r braster yn y deiet, does dim o'i le mewn defnyddio olew, iogwrt, llefrith sgim neu unrhyw gynhwysion eraill o'ch dewis. Wrth addasu ryseitiau rhaid cofio na fydd blas y saig yn union yr un peth ond dyma un ffordd i'ch annog i fod yn greadigol yn y gegin.

Rwyf wedi cynnwys geirfa ar waelod pob rysáit oherwydd pan oeddwn yn rhedeg Caffi Meinir yng Nghanolfan Iaith Genedlaethol Nant Gwrtheyrn, y dysgwyr yno oedd yn fy annog i ysgrifennu llyfr o'm ryseitiau. Hoffwn ddiolch i'r dysgwyr hynny am bwyso arnaf a chymryd cymaint o ddiddordeb bob amser yn y bwyd yr oeddwn yn ei baratoi.

SIART TYMHEREDD Y POPTY

RWYF yn nodi yn y ryseitiau y tymheredd ar gyfer popty nwy ac mewn graddau Celsius ar gyfer popty trydan. Felly dyma siart i chi gyfeirio ato os oes gennych bopty trydan a graddau Fahrenheit wedi'u nodi arno. Os oes gennych bopty gyda gwyntyll ynddo gellir torri rhyw 5 munud oddi ar yr amser coginio a gostwng y tymheredd ychydig.

Cofiwch mai canllaw yn unig yw hwn. Efallai y bydd angen ei addasu i weddu i'ch popty personol chi.

Nwy	Celsius	Fahrenheit	Disgrifiad o'r gwres
8	240	450	Poeth iawn
7	220	425	
6	200	400	Poeth
5	190	375	
4	170-180	350	Cymharol boeth
3	160	325	
2	150	300	Cynnes
1	140	275	
½	130	250	Lled oer
¼	120	225	

Ryseitiau Sylfaenol

1. Crwst Brau

DYMA'R crwst a ddefnyddiaf yn gyffredinol yn fy ryseitiau. Mae'n ysgafn ac yn frau iawn.

CYNHWYSION

8 owns/200 gram blawd codi (Nid wyf yn defnyddio blawd plaen.)
2 ½ owns/65 gram margarîn
2 ½ owns/65 gram lard (Rwyf i'n defnyddio ychydig dros hanner y braster i'r blawd—mae hyn yn breuo'r crwst.)
Dŵr oer i gymysgu

DULL

1. Rhoi'r blawd a'r braster gyda'i gilydd mewn powlen fawr.
2. Eu rhwbio â blaenau'r bysedd nes bod y cymysgedd yn ymdebygu i friwsion bara.
3. Ychwanegu dŵr oer o jwg, ychydig ar y tro, a'i gymysgu i mewn yn weddol galed gyda chyllell fwrdd. Pan fydd digon o ddŵr wedi ei ychwanegu, bydd y toes yn casglu at ei gilydd mewn pelen ar waelod y bowlen. Dyma'r ffordd rwyddaf i ychwanegu'r dŵr oherwydd mae'n bwysig iawn nad yw'r toes yn rhy sych nac yn rhy wlyb.
4. Dyma'r unig amser i drafod y toes gyda'r dwylo, er mwyn gwneud yn siŵr fod pob darn wedi glynu at ei gilydd yn iawn.
5. Mae'r toes yn barod bellach i'w ddefnyddio fel y mynnir.

GEIRFA

Crwst—*pastry* Crwst brau—*shortcrust pastry* Braster—*fat* Ymdebygu—*resemble* Cyllell fwrdd—*table knife* Toes—*dough*

AWGRYM

Os yw rysáit yn gofyn am 8 owns/200 gram o grwst, yna at bwysau'r blawd y cyfeirir.

2. Crwst Blawd Cyflawn

MAE llawer o bobl yn cael anhawster i wneud crwst blawd cyflawn da. Yn aml, mae'r crwst yn sych ac yn anodd ei drin ac, ar ôl ei goginio, yn galed ac annymunol i'w fwyta. Ond wrth baratoi mae yna un gyfrinach sy'n werth gwybod amdani ac yna fe fydd gennych grwst blawd cyflawn gwerth ei gael!

CYNHWYSION

8 owns/200 gram blawd cyflawn plaen
2 owns/50 gram margarîn
2 owns/50 gram lard
Dŵr oer i gymysgu

DULL

1. Rhoi'r blawd a'r braster mewn powlen gymysgu.
2. Rhwbio'r cynhwysion gyda'i gilydd nes eu bod yn ymdebygu i friwsion bara *(ni fydd y rhain mor fân â phan fyddwch yn defnyddio blawd gwyn).*
3. Ychwanegu dŵr oer, ychydig ar y tro, a'i gymysgu i mewn gyda chyllell fwrdd nes bydd y toes yn dod at ei gilydd mewn pelen. Dyma'r gyfrinach: mae'n rhaid ychwanegu mwy o ddŵr nag sydd ei angen nes bod y toes yn teimlo braidd yn wlyb. Y rheswm dros wneud hyn yw fod y bran yn y blawd cyflawn yn amsugno llawer o ddŵr. Rhaid gadael y toes am o leiaf hanner awr wedi ei orchuddio â phapur glynu a'i roi yn yr oergell er mwyn rhoi cyfle i'r broses hon ddigwydd.
4. Ar ôl hyn, bydd y crwst yn hawdd i'w drin ac yn flasus i'w fwyta.

GEIRFA

Crwst blawd cyflawn—*wholemeal pastry* Braster—*fat* Toes—*dough* Papur glynu—*cling-film*

Mae llawer o'r hen felinau wedi eu hailagor dros Gymru bellach ac yn malu blawd yn y dull traddodiadol. Yr wyf fi yn prynu fy mlawd cyflawn o Felin Crewi ym Mhenegoes ger Machynlleth. Byddaf yn hoffi mynd yno ar ddiwrnod braf gan ei fod yn llecyn bach hyfryd, ac rwyf yn cael cyfle i sgwrsio gyda'r melinydd ifanc o Gymro. Maent yn gwerthu nifer o'u cynnyrch e.e. gwahanol flodiau a cheirch ac yn paratoi *muesli* blasus hefyd.

3. Sbwng Fictoria

DYMA rysáit a ddaeth yn boblogaidd pan oeddwn yn y coleg yn y chwedegau. Nid wyf wedi defnyddio unrhyw rysáit arall i wneud Sbwng Fictoria ers hynny. Mae'n rhwydd i'w gwneud ac yn gweithio bob tro!!

CYNHWYSION

4 owns/100 gram margarîn Blue Band (Mae'n bwysig defnyddio'r math hwn.)
4 owns/100 gram siwgr mân
4 owns/100 gram blawd codi
2 wy maint 3
½ llond llwy de o bowdr codi

DULL

1. Rhoi'r cynhwysion i gyd mewn powlen a'u cymysgu gyda pheiriant trydan am 1 munud. *(Fe ddylai'r cymysgedd fod yn hollol lyfn.)* Gellir defnyddio llwy bren i gymysgu'r cynhwysion ond mae'n rhaid cymysgu am 2 funud.
2. Defnyddio'r cymysgedd fel bo angen.

GEIRFA

Blawd codi—*self-raising flour* Siwgr mân—*caster sugar* Powdr codi—*baking powder*

4. Crempog

fe wnewch o leiaf 20 crempog denau

BYDDAF yn defnyddio'r crempogau hyn i wneud gwahanol ryseitiau drwy'r llyfr. Maent yn ddefnyddiol i wneud seigiau melys a rhai sawrus. Maent hefyd yn rhewi'n dda, felly mae'n werth gwneud swp ohonynt a chadw rhai wrth gefn yn y rhewgell.

CYNHWYSION

½ peint/300 ml llefrith
4 owns/100 gram blawd codi
1 wy maint 3
Menyn i ffrio'r crempogau

DULL

1. Rhoi'r llefrith, y blawd codi a'r wy mewn prosesydd bwyd neu hylifydd a'u cymysgu'n dda gyda'i gilydd i gael hylif hufennog, llyfn. Gellir gwneud y gwaith gyda llwy bren neu chwisg, ond mae'n cymryd mwy o amser ac y mae'n anoddach cael gwared o'r lympiau.
2. Rhoi darn bach o fenyn mewn padell bwrpasol *(fe fyddaf i yn cadw padell fach omled i'r math yma o waith yn unig, ac yna byddaf yn sicr nad yw'r crempogau yn glynu)*. Peidiwch byth â sgwrio'r badell, dim ond ei sychu'n lân.
3. Gadael i'r menyn boethi cyn tywallt tipyn o'r cytew i mewn. Mae angen gwneud crempogau tenau, felly ar ôl rhoi'r cytew i mewn, symudwch y badell o gwmpas, er mwyn i'r hylif ledaenu dros waelod y badell. Wrth i'r grempog goginio dechreuwch ei rhyddhau o amgylch yr ymylon. Unwaith mae'r badell wedi twymo'n iawn, gellir troi'r gwres i lawr ychydig bach.
4. Pan fydd yr ochr isaf wedi crasu'n frown, mae angen ei throi drosodd gyda sbatwla a chrasu'r ochr arall yr un modd.
5. Rhoi'r crempogau ar blât—un ar ben y llall—ar ôl eu coginio. Yn ein tŷ ni, maent yn cael eu bwyta'n syth!
6. Mae dwy ffordd dda o aildwymo crempogau a hynny heb iddynt sychu a mynd yn galed. *(Fe ellwch wneud hyn hefyd â chrempogau yn syth o'r rhewgell.)*
   a) Eu rhoi rhwng dau blât ar ben sosbanaid o ddŵr yn berwi ar y cwcer.

b) Eu rhoi ar blât a'u gorchuddio â phapur glynu, gwneud twll neu ddau yn y papur ac yna eu rhoi yn y microdon am ryw funud neu ddau *(dibynnu faint o grempogau sydd gennych).*

Fe fyddaf i hefyd yn rhoi mymryn o fenyn rhwng pob crempog cyn eu twymo.

GEIRFA

Crempog—*pancake* Sawrus—*savoury* Blawd codi—*self-raising flour* Hylifydd—*liquidizer* Hylif hufennog—*creamy liquid* Cytew—*batter* Sbatwla—*spatula* Papur glynu—*cling-film*

5. Saws Gwyn Sawrus

MAE hwn yn hawdd a sydyn i'w wneud ac ni ddylai neb gael trafferth gydag ef o gwbl!

CYNHWYSION

½ peint/300 ml llefrith
1 owns/25 gram blawd corn
1 owns/25 gram menyn
½ ciwb stoc llysiau neu gyw iâr

DULL

1. Dodi'r cynhwysion i gyd mewn sosban.
2. Dros wres cymedrol, chwisgio'r cyfan drwy gydol y cyfnod coginio gyda chwisg swigen. Mae hyn yn bwysig.
3. Gadael i'r saws ferwi am oddeutu munud gan barhau i chwisgio. Ei flasu ac ychwanegu ychydig o bupur a halen os oes angen.
4. Os nad yw'r saws yn cael ei ddefnyddio'n syth, mae'n rhaid ei orchuddio gyda phapur glynu neu bapur gwrth-saim gwlyb i'w rwystro rhag croeni.

GEIRFA

Saws gwyn sawrus—*savoury white sauce* Llefrith—*milk* Blawd corn—*cornflour* Menyn—*butter* Ciwb stoc—*stock cube* Gwres cymedrol—*moderate heat* Chwisgio—*whisk* Chwisg swigen—*balloon whisk* Blasu—*taste* Gorchuddio—*cover* Papur glynu—*cling-film* Papur gwrth-saim—*greaseproof paper*

6. Stoc

Stoc Brown neu Stoc Cig Eidion—yn gwneud 6 pheint

MAE hwn yn sylfaen arbennig o dda i gawl, sawsiau a grefi. Mae'r stoc yn cadw yn yr oergell am 4 diwrnod neu gellir ei rewi.

CYNHWYSION

3 phwys o gig i'w stiwio
2 asgwrn cig eidion gyda mêr ynddynt, wedi eu torri'n ddarnau
1 droed mochyn (Mae hon yn ychwanegu jeli da i'r stoc.)
2 nionyn
2 foronen
1 coesyn helogan
2 ddarn o bersli
bouquet garni
halen
10 pupur du cyfan
6 pheint/3½ litr dŵr oer

DULL

1. Torri'r cig yn giwbiau bach. Peidiwch â thynnu'r croen oddi ar y nionod, ond eu torri yn chwarteri. Pliciwch y moron a'u torri'n fras. Torri'r helogan yn fras hefyd.
2. Dodi'r cig a'r esgyrn mewn tun rhostio mewn popty poeth *(nwy 6/ 200°C)* gan eu troi yn gyson nes iddynt droi yn lliw brown cyfoethog.
3. Rhoi'r cig a'r esgyrn mewn sosban fawr ac ychwanegu'r perlysiau a'r pupur a'r halen.
4. Ychwanegu'r 6 pheint o ddŵr a'i ferwi.
5. Rhaid cael gwared o unrhyw ysgum sy'n casglu ar yr wyneb.
6. Berwi'r stoc yn araf am 2 awr.
7. Ychwanegu'r llysiau. Cael gwared o'r ysgum a berwi'r cymysgedd yn araf am 2 awr arall.
8. Ei hidlo drwy fwslin i bowlen fawr.
9. Oeri'r hylif ac yna ei roi yn yr oergell. Fe ddaw unrhyw saim i'r wyneb a gellir cael gwared ohono'n rhwydd. Dylai'r stoc gael ei oeri mor sydyn â phosib ac ni ddylid ei roi mewn oergell yn gynnes gan ei fod

yn codi tymheredd yr oergell.

10. Gellir defnyddio'r cig eidion i wneud pastai os dymunir.
11. Gellir defnyddio sosban frys i leihau yr amser coginio.

Stoc Cyw Iâr—yn gwneud 6 pheint

Byddaf yn cael mwy o ddefnydd o hwn na'r un o'r lleill.

CYNHWYSION

2 ysgerbwd cyw iâr gyda'r rhannau hynny sy'n fwytadwy o gorff yr aderyn (giblets) ond peidiwch â defnyddio'r iau
2 nionyn
3 moronen
2 genhinen
1 ddeilen llawryf
bouquet garni
halen
6 phupur du cyfan
6 pheint/3½ litr dŵr oer

DULL

1. Torri'r ysgerbydau a'u rhoi mewn sosban fawr.
2. Tynnu'r croen oddi ar y llysiau a'u torri'n fras. Eu rhoi yn y sosban gyda'r perlysiau, y pupur a'r halen a 6 pheint o ddŵr oer.
3. Codi'r stoc i ferw yn araf a chael gwared o unrhyw ysgum sydd wedi ffurfio.
4. Rhoi caead ar y sosban a berwi'r cynhwysion am o leiaf 2½ awr.
5. Eu hidlo drwy fwslin i bowlen fawr.
6. Oeri'r stoc a chael gwared o'r saim sydd wedi codi i'r wyneb.
7. Os oes angen stoc cryfach ei flas, defnyddiwch ffowlyn addas i'w ferwi yn lle'r ysgerbydau.

Stoc Pysgod

CYNHWYSION

2 bwys 2 owns/1 kg esgyrn a phennau pysgod gwyn
2 owns/50 gram nionod
darn gwyn o 1 genhinen
2 owns/50 gram madarch
2 owns/50 gram menyn
4 owns-hylif/100 ml gwin gwyn sych
bouquet garni
3½ peint/2 litr dŵr oer

DULL

1. Tynnu'r tegyll oddi ar y pennau pysgod.
2. Mwydo'r pennau a'r esgyrn mewn dŵr oer am 3 i 4 awr.
3. Tynnu croen, glanhau a thorri'r llysiau yn fras a'u chwysu yn y menyn am ychydig funudau.
4. Rhoi'r pennau a'r esgyrn yn y sosban gyda'r perlysiau a'r gwin gwyn.
5. Berwi'r cymysgedd yn dda i leihau'r gwin i'w hanner. Ychwanegu'r dŵr.
6. Dod â'r stoc i'r berw a thynnu unrhyw ysgum oddi ar yr wyneb. Berwi'r stoc yn araf heb gaead am 25 munud.
7. Hidlo'r stoc drwy fwslin i bowlen. Ei oeri a'i roi yn yr oergell a chael gwared o unrhyw saim sydd wedi codi i'r wyneb.

Stoc Llysiau

Gan fod cymaint o bobl bellach wedi troi'n llysieuwyr, mae'n bwysig cynnwys stoc llysiau mewn llyfr coginio.

CYNHWYSION

1 pwys/400 gram moron
1 pwys/400 gram nionod
1 pen helogan
½ owns/13 gram menyn
3 neu 4 pupur du cyfan
1 llond llwy de purée tomato
4 peint/2 litr dŵr oer
halen

DULL

1. Tynnu croen y llysiau, eu torri'n fras a'u brownio'n ysgafn yn y menyn mewn sosban fawr.
2. Ychwanegu'r pupur, y *purée* tomato, y dŵr a'r halen.
3. Berwi mewn sosban gyda chaead arni am o leiaf 2 awr gan gael gwared o ysgum sydd yn casglu ar yr wyneb.
4. Hidlo'r stoc drwy fwslin i bowlen fawr. Ei oeri a'i roi yn yr oergell a chael gwared o unrhyw saim sydd wedi codi i'r wyneb.

GEIRFA

Stoc cig eidion—*beef stock* Sylfaen—*base* Oergell—*refrigerator* Asgwrn—*bone* Mêr—*marrow*
Troed mochyn—*pig's trotter* Nionyn—*onion* Moronen—*carrot* Helogan—*celery* Persli—*parsley*
Bouquet garni—*bunch of fresh herbs or prepared sachets of dried herbs*
Pupur du cyfan—*peppercorns* Ciwbiau—*cubes* Chwarteri—*quarters* Cyfoethog—*rich*
Perlysiau—*herbs* Ysgum—*scum* Hidlo—*strain* Mwslin—*muslin* Saim—*fat*
Pastai—*pasties or pies* Sosban frys—*pressure cooker* Stoc cyw iâr—*chicken stock*
Ysgerbwd cyw iâr—*chicken carcass* Deilen llawryf—*bay leaf* Stoc pysgod—*fish stock*
Esgyrn a phennau pysgod—*fish bones and heads* Cenhinen—*leek*
Gwin gwyn sych—*dry white wine* Tegyll—*gills* Madarch—*mushrooms* Purée tomato—*tomato purée*
Stoc llysiau—*vegetable stock*

Wrth gwrs, does dim rhaid i neb wneud ei stoc ei hun y dyddiau hyn ond dylid cofio bod stoc cartref o'r ansawdd gorau, a hefyd yn hollol naturiol o ran cynhwysion. Nid wyf yn dweud nad ydwyf yn defnyddio stoc masnachol—mae rhai ohonynt yn lled dda bellach. Byddaf yn prynu powdr stoc sydd yn cael ei baratoi ar gyfer arlwywyr.

RHAN 1

7. Melwn Myrddin

digon i 6 neu 8

CYNHWYSION

1 melwn—o unrhyw fath
hanner pupur coch
hanner pupur gwyrdd
4 owns ham Caerfyrddin (Mae hwn yn debyg i ham Parma neu ham Bayonne. Yr wyf yn ei gael o siop Albert Rees ar farchnad Caerfyrddin. Y mae yn ei bacio a'i ddanfon ataf drwy'r post. Os nad yw ar gael, fe allwch ddefnyddio porc wedi ei fygu a'i dorri'n haenau tenau.)

Blaslyn Bwydlys

6 llond llwy de o olew bwydlys
2 lond llwyd de o finegr
hanner llwy de o fintys wedi ei sychu
pinsiad o halen ac ychydig o bupur du

DULL

1. Torri'r melwn yn ei hanner a chael gwared o'r hadau o'r canol. Yna torri'r melwn yn 6 neu 8 darn siâp cwch. Rhedeg cyllell rhwng y ffrwyth a'r croen i ryddhau'r ffrwyth a'i wneud yn haws i'w fwyta.
2. Torri'r pupur coch a'r pupur gwyrdd yn eu hanner. Cael gwared o'r hadau ac yna eu torri'n stribedi tenau a'u rhoi mewn powlen.
3. Rhoi cynhwysion y blaslyn bwydlys mewn potyn a chaead iddo. Rhoi'r caead arno ac ysgwyd yr hylif yn dda nes y bydd yn edrych yn gymylog. Nid oes pwrpas gwneud hyn ymhell ymlaen llaw neu fe fydd yr olew a'r finegr yn gwahanu.
4. Rhoi'r blaslyn dros y pupur coch a gwyrdd.
5. Dodi cwch melwn ar blât bach ac yna rhoi peth o'r cymysgedd pupur drosto.
6. Rhannu'r ham Caerfyrddin rhwng y tameidiau melwn a'i roi, naill ai ar ben y melwn mewn stribedi, neu wrth ei ochr mewn un darn.

GEIRFA

Ham Caerfyrddin—*Carmarthen ham* Pupur coch—*red pepper* Pupur gwyrdd—*green pepper*

Melwn—*melon* Porc wedi ei fygu—*smoked pork* Haenau tenau—*thin slices*
Haen—*can also mean layer* Olew bwydlys—*salad oil* Mintys—*mint*
Blaslyn bwydlys—*salad dressing* Stribedi—*strips* Hylif—*liquid* Cwch melwn—*melon boat*

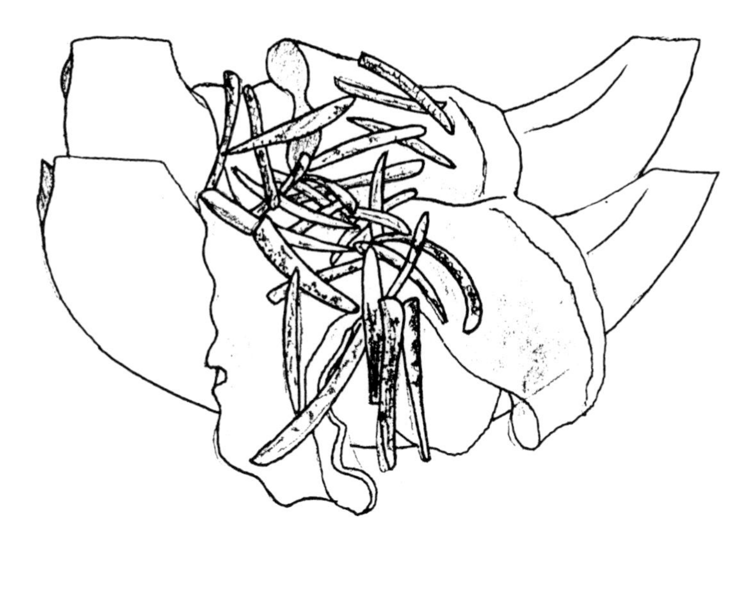

8. Gwyntyll Melwn gyda Saws Mwyar Duon

digon i 4

MAE gennyf atgofion melys am griw ohonom ni'r plant yn mynd o gwmpas y pentref erstalwm i gasglu mwyar duon. Bellach mae'n anodd iawn dod o hyd i lefydd sydd yn ddigon anghysbell fel nad oes llygredd o geir ar y mwyar. Fodd bynnag, yr ydym ni ym Mhen Llŷn yn ddigon ffodus i gael rhyw lecyn neu ddau o hyd, lle mae'r mwyar duon i'w cael yn lân ac yn flasus. Dyma saig lle y gellir defnyddio mwyar duon o'r rhewgell. Wrth gwrs, gorau i gyd os oes rhai ffres ar gael.

CYNHWYSION

1 melwn (Galia os yn bosibl, gan fod y siâp yn well i wneud gwyntyllau.)
8 owns/200 gram mwyar duon (Rhai ffres neu wedi eu rhewi. Nid oes blas cystal ar y rhai allan o dun.)
digon o siwgr i felysu'r mwyar
ffrwythau ffres i addurno'r saig

DULL

1. Torri'r melwn yn 4 a chael gwared o'r hadau yn ei ganol.
2. Mae angen torri'r croen oddi ar y chwarteri melwn gan geisio peidio â gwastraffu dim o'r ffrwyth.
3. Stiwio'r mwyar duon mewn cyn lleied o ddŵr â phosibl nes eu bod wedi meddalu.
4. Rhoi'r mwyar poeth yn y prosesydd bwyd i'w hylifo ac yna eu gwasgu drwy ridyll gyda gyda llwy bren i gael gwared o'r hadau. *(Os nad oes prosesydd ar gael, dylid defnyddio rhidyll yn unig.)*
5. Ychwanegu digon o siwgr i'r hylif mwyar i'w felysu.
6. Gadael i'r hylif mwyar oeri'n gyfan gwbl cyn ei ddefnyddio.
7. Torri'r pedwar darn melwn yn wyntyllau. *(Peidio â thorri i'r pen ac yna tynnu'r darnau oddi wrth ei gilydd i wneud siâp gwyntyll.)*
8. Rhoi ychydig o'r hylif mwyar duon ar ganol pedwar plât a dodi gwyntyll melwn yn ofalus ar bob un.

9. Addurno'r saig â darnau o ffrwythau ffres e.e. mwyar duon, ffrwyth ciwi, oren, mafon neu geirios. Mae'r rhain yn ychwanegu tipyn o liw ac ansawdd i'r saig.
10. Gellir ei rhoi ar y bwrdd yn barod cyn i'r gwesteion gyrraedd.

GEIRFA

Gwyntyll—*fan* Mwyar duon—*blackberries* Llygredd—*pollution* Rhewgell—*freezer*
Addurno—*decorate* Hadau—*seeds* Prosesydd bwyd—*food processor* Rhidyll—*sieve* Hylif—*liquid*
Ffrwyth ciwi—*Kiwi fruit* Mafon—*raspberries* Ceirios—*cherries*
Ansawdd—*texture (when referring to food—the word usually means quality)* Amsugno—*absorb*

AWGRYM

Peidiwch â gadael y melwn yn yr hylif mwyar duon yn rhy hir neu fe fydd wedi amsugno peth o'r lliw tywyll.

9. Grawnffrwyth Poeth

GAN ei bod hi'n arferiad gennym fwyta grawnffrwyth yn oer, mae ei weini'n boeth fel yn y rysáit yma yn gwneud y saig yn llawer mwy diddorol, er ei bod mewn gwirionedd yn syml iawn i'w pharatoi.

CYNHWYSION

½ grawnffrwyth i bob person
1 llond llwy fwrdd o siwgr demerara i bob person
1 llond llwy fwrdd o'r ddiod Cân-y-Delyn i bob person
Ceiriosen, darnau o oren neu ddarn o fintys ffres i addurno

DULL

1. Torri'r grawnffrwyth yn ei hanner.
2. Rhedeg cyllell rhwng y croen a'r ffrwyth i'w ryddhau. Mae cyllell rawnffrwyth arbennig ar gael i wneud y gwaith yn rhwyddach.
3. Torri rhwng y darnau ffrwyth i'w gwneud yn haws i'w bwyta.
4. Rhoi'r siwgr a Chân-y-Delyn ar y grawnffrwyth.
5. Mae tair ffordd o gynhesu'r grawnffrwyth.
   a) Ei roi o dan y gridyll nes i'r siwgr doddi.
   b) Ei roi mewn popty am oddeutu 8 munud.
   c) Ei roi yn y microdon am oddeutu 2 funud nes i'r siwgr doddi.
6. Dodi'r hanner grawnffrwyth poeth mewn powlen rawnffrwyth bwrpasol. Yna ei gosod ar ddoili ar soser a gweini'r grawnffrwyth yn syth, wedi ei addurno â hanner ceiriosen *glacé,* darnau o oren ffres neu ddarn o fintys ffres.

GEIRFA

Grawnffrwyth—*grapefruit* Siwgr demerara—*demerara sugar* Ceiriosen—*cherry* Ceiriosen glacé—*glacé cherry* Gridyll—*grill* Popty—*oven* Microdon—*microwave* Doily—*doily* Crebachu—*shrivel* Cân-y-Delyn—*a Welsh liqueur*

AWGRYM

Gellir cynhesu'r grawnffrwyth mewn microdon ond nid yw ei ymddangosiad cystal gan fod y ffrwyth yn dueddol i grebachu tipyn.

10. Cawl Cennin Hufennog

MAE cawl yn boblogaidd bob amser—yn enwedig gan y dynion. Dyma ryseitiau dau o'm ffefrynnau personol. Maent yn rhad ac yn syml i'w paratoi.

digon i 6

CYNHWYSION

1 pwys/400 gram cennin
8 owns/200 gram nionod
1 owns/25 gram menyn
1½ peint/900 ml stoc cyw iâr neu stoc llysiau (wedi ei halltu)
½-1 peint/300-600 ml llefrith (yn dibynnu ar y trwch a ddymunir)

DULL

1. Torri'r cennin a'r nionod yn fras a'u chwysu mewn sosban yn y menyn am funud neu ddau yn unig. Peidiwch â gadael iddynt droi yn frown.
2. Tywallt y stoc dros y llysiau a gadael i'r cawl fudferwi dros wres isel am hanner awr.
3. Rhoi'r cawl yn y prosesydd bwyd neu'r hylifydd. Fe fydd y cawl yn hylif hufennog, tew ar ôl ei weithio yn y peiriant. Rhoi'r cawl yn ôl mewn sosban lân.
4. Ychwanegu'r llefrith. Rhaid i *chi* benderfynu pa mor denau yr ydych yn hoffi eich cawl.
5. Cynhesu'r cawl ond peidiwch â berwi gormod arno. Rwyf yn hoffi gweini rholiau blawd cyflawn cynnes a menyn Cymreig gyda'r cawl hwn.

GEIRFA

Cawl cennin hufennog—*cream of leek soup* Chwysu—*sweat* Mudferwi—*simmer*
Gwres isel—*low heat* Rholiau blawd cyflawn—*wholemeal rolls*

AWGRYM

Mae cennin yn anodd i'w glanhau. Y ffordd orau o wneud hynny yw torri dau doriad drwy'r dail gwyrdd yn groes i'w gilydd. Yna eu golchi o dan dap dŵr oer i gael gwared o'r tywod. Nid ydych eisiau teimlo'r tywod yn eich ceg pan fyddwch yn bwyta'r cawl!

11. Cawl Llysiau Melyn gyda Croûtons

digon i 6

CYNHWYSION

1 pwys/400 gram moron
4 owns/100 gram rwden
4 owns/100 gram pannas
8 owns/200 gram nionod
2 beint/1.2 litr stoc cyw iâr neu stoc llysiau
2 owns/50 gram menyn
½ peint/300 ml llefrith

DULL

1. Torri'r llysiau yn ddarnau bras a'u rhoi mewn sosban fawr.
2. Chwysu'r llysiau gyda'r menyn am funud neu ddau.
3. Ychwanegu'r stoc a gadael i'r cawl fudferwi ar wres isel am oddeutu tri chwarter awr.
4. Rhoi'r cawl mewn prosesydd bwyd neu hylifydd a'i weithio nes y bydd yn troi yn hylif hufennog, tew. Rhoi'r cawl yn ôl mewn sosban lân.
5. Ychwanegu'r llefrith ac aildwymo'r cawl. Peidiwch â'i ferwi.
6. Gweini'r cawl mewn powlenni cynnes gyda phersli wedi ei dorri'n fân ar yr wyneb.
7. Byddaf yn hoffi bara Ffrengig neu *croûtons* gyda'r cawl hwn.
8. I wneud *croûtons,* dylid torri bara yn giwbiau bychain tua 1 cm o faint a'u ffrio'n sydyn mewn cymysgedd o olew a menyn nes y byddant yn frown. *(Peidiwch â ffrio gormod ohonynt gyda'i gilydd.)* Yna rhowch y *croûtons* ar bapur amsugnol i oeri. Gellir gweini'r *croûtons* mewn powlen fach wrth ochr y cawl neu fe ellir rhoi ychydig ohonynt yn y cawl.

GEIRFA

Moron—*carrots* Rwden—*swede* Pannas—*parsnips* Papur amsugnol—*absorbent paper*

12. Pâté Macrell wedi ei fygu

digon i 4 neu 6

A DWEUD y gwir, gellir defnyddio unrhyw bysgodyn wedi ei fygu i wneud y saig yma. Mae brithyll ac eog wedi eu mygu ar gael mewn llawer mygfa yng Nghymru bellach ond wrth gwrs, mae'r rhain yn dipyn drutach i'w prynu. Mae mecryll yn flasus, yn weddol rhad ac ar gael yn y rhan fwyaf o siopau bwyd.

CYNHWYSION

1 ffiled o facrell wedi ei fygu—darnau tua 4 owns/100 gram i bob dau berson
2 lond llwy de o fwstard Cymreig gyda mêl (Mae amryw o'r rhain ar y farchnad a'm ffefryn yw'r un gan Fieldfare, Llanrwst.)
2 sibolsen/slots
2 owns/50 gram o fenyn wedi ei doddi
2 owns/50 gram ychwanegol o fenyn i orchuddio'r pâté

DULL

1. Tynnu'r croen du oddi ar y darnau mecryll. Dylai hwn ddod i ffwrdd yn rhwydd.
2. Rhoi'r mecryll, y sibols, y mwstard a 2 owns/50 gram o fenyn wedi ei doddi yn y prosesydd bwyd a'i weithio nes y bydd yn gymysgedd llyfn. Os nad oes prosesydd ar gael, gellir torri popeth yn fân a'u cymysgu gyda fforc, ond ni fydd ansawdd y *pâté* yr un fath.
3. Rhannu'r *pâté* rhwng 6 phowlen fach unigol neu ei roi mewn 1 bowlen fawr a'i rannu ar blatiau wrth y bwrdd.
4. Toddi'r menyn ychwanegol a'i dywallt ar y *pâté*. Mae hwn yn caledu yn yr oergell ac yn selio'r *pâté*. Bydd yn cadw'n well o'r herwydd.
5. Addurno'r *pâté* â dail llawryf neu bersli a lemwn.
6. Gweini'r *pâté* gyda thost cynnes.
7. Mae'r *pâté* yn rhewi'n dda ond gwnewch yn sicr na ddefnyddiwyd macrell oedd wedi ei rewi yn y lle cyntaf. Mae'n beryglus defnyddio bwyd sydd wedi ei rewi ddwywaith.

GEIRFA

Macrell—*mackerel* Brithyll—*trout* Eog—*salmon* Mygfa—*smokery*
Mwstard Cymreig gyda mêl—*Welsh mustard with honey* Sibolsen/slots—*spring onion*
Gorchuddio—*cover* Ffiled o facrell—*fillet of mackerel* Cymysgedd llyfn—*smooth mixture*
Oergell—*refrigerator* Dail llawryf—*bay leaves* Persli—*parsley*

13. Selsig Morgannwg

DYMA saig boblogaidd dros ben. Mae'r selsig yn flasus yn boeth neu yn oer. Gellir eu defnyddio fel cwrs cyntaf, fel rhan o fwffe neu fel prif gwrs i lysieuwyr. Caws wedi ei wneud o lefrith yr hen frid o wartheg Gwent oedd yn cael ei ddefnyddio i wneud y selsig erstalwm, ond bellach gellir defnyddio unrhyw gaws cryf ei flas. Dyma fy addasiad i o'r hen rysáit.

CYNHWYSION

10 owns/250 gram o friwsion bara brown
1 nionyn mawr wedi ei dorri'n fân
(Byddaf yn defnyddio'r prosesydd bwyd i wneud hyn.)
6 owns/150 gram o gaws wedi ei ratio
1 llond llwy bwdin o berlysiau cymysg wedi eu sychu
3 wy (maint 3)

DULL

1. Rhoi'r cynhwysion sych mewn powlen fawr.
2. Torri'r 3 wy i mewn i'r bowlen a chymysgu'r cyfan gyda'i gilydd. Fe fyddaf yn defnyddio fy llaw i wneud hyn.
3. Ffurfio siapiau selsig o'r cymysgedd. Gellir gwneud tua 24 o rai bach 1 owns neu tua 12 o rai 2 owns.
4. Ffrio'r selsig mewn olew bas neu olew dwfn nes y byddant yn troi'n frown. Peidiwch â'u gor-goginio.
5. Mae'n bosibl rhewi'r selsig cyn eu coginio ac yna eu rhoi mewn olew dwfn yn syth o'r rhewgell.

Selsig Morgannwg (yn oer)

1. Gosod 1 selsigen 2 owns wedi ei choginio a'i hoeri un pen i blât bach hirgrwn.
2. Gosod bwydlys ochr cymysg yr ochr arall i'r plât gyda llwyaid o bicl cartref. *(Mae picl eirin yn blasu'n arbennig o dda gyda'r selsig.)*

Selsig Morgannwg (yn boeth gyda saws mwstard)

1. Mae angen 1 selsigen 2 owns i bob person.
2. Coginio'r selsig a'u cadw'n boeth.

Y Saws Mwstard—digon i 4

CYNHWYSION

Twb bach o hufen dwbl
2 lond llwy de o fwstard Cymreig gyda mêl
ychydig o bowdr neu ddarn o giwb stoc cyw iâr neu lysiau
hanner llond llwyd de o flawd corn wedi ei gymysgu gyda dŵr

DULL

1. Cymysgu'r cynhwysion gyda'i gilydd mewn padell dros wres cymharol boeth. Mae chwisg swigen yn ddefnyddiol i wneud hyn.
2. Fe fydd y saws yn tewychu ychydig ar ôl iddo ferwi.
3. Rhoi pwll o'r saws ar ganol plât bach crwn.
4. Rhoi'r selsig ar y saws.
5. Addurno'r saig gydag ychydig o bersli neu ferwr dŵr.

GEIRFA

Saig—*dish* Selsig—*sausage* Briwsion bara brown—*brown bread crumbs*
Perlysiau cymysg—*mixed herbs* Cynhwysion—*ingredients* Dull—*method* Cymysgedd—*mixture*
Olew bas—*shallow fat (oil)* Olew dwfn—*deep fat (oil)* Gweini—*serve* Plât hirgrwn—*oval plate*
Salad ochr—*side salad* Blawd corn—*cornflour* Gwres cymharol boeth—*moderate heat*
Chwisg swigen—*balloon whisk*

AWGRYM

Os ydych am rewi'r selsig, gosodwch hwy ar dun fflat, gyda lle rhyngddynt. Mae hyn yn eu harbed rhag glynu i'w gilydd a cholli eu siâp. Unwaith y maent wedi rhewi'n galed, gellir eu rhoi mewn bagiau plastig.

14. Cocos mewn Cytew gyda Throchiad Lemwn

digon i 6

YR YDYM i gyd wedi clywed am gocos Penclawdd, ac y mae gennyf gof byw o dreulio nosweithiau braf yn fy arddegau ar draeth Llansteffan gyda fy ffrind ysgol yn casglu'r cocos mwyaf bendigedig. Yr oeddem yn cerdded cryn bellter i'r rhan a elwir yn Scotts Bay i'w casglu. Tybed a oes cocos yno o hyd? Yr oedd mam fy ffrind yn sgwrio'r cocos, yn cael gwared o rai oedd wedi agor yn barod ac yna eu gadael i fwydo dros nos mewn dŵr a halen a 2 lond llwy fwrdd o flawd i bob galwyn. Yr oedd hyn yn cael gwared o unrhyw dywod neu fân raean. Eu golchi wedyn mewn dŵr oer ac yna eu stemio wedi eu gorchuddio dros sosban am oddeutu 4 i 5 munud—nes i'r cregyn i gyd agor. Rhaid taflu unrhyw un nad yw'n agor yn naturiol. Peidiwch â'u gor-goginio neu fe fydd y cocos yn teimlo fel rwber. Yr oedd Mrs Jones wedyn yn eu rholio mewn blawd ac yn eu ffrio'n sydyn mewn menyn. Dyna wledd! Ninnau yn eu bwyta'n boeth gyda thalpiau o fara menyn ffres. Yr unig lefydd i brynu cocos yn ffres yw yn agos i'r ardaloedd lle maent yn cael eu casglu.

CYNHWYSION

Y Cytew—mae hwn yn ddigon i oddeutu 1 pwys/400 gram o gocos ac mae hynny'n ddigon i 6 pherson

½ peint/300 ml llefrith
6 owns/150 gram blawd codi
1 wy maint 3

DULL

1. Rhoi'r cynhwysion i gyd yn y prosesydd bwyd nes iddynt droi'n hylif hufennog, gweddol dew.

Cynhwysion gweddill y rysáit

1 pwys/400 gram o gocos ffres neu rai wedi eu rhewi
2 lond llwy fwrdd o mayonnaise
3 llond llwy de o sudd lemwn
2 lond llwy de o groen lemwn wedi ei ratio'n fân
2 lond llwy de o bersli ffres wedi ei dorri'n fân

DULL

1. Rhoi'r cocos yn y cytew a'u cymysgu'n ofalus.
2. Cymysgu'r *mayonnaise,* y sudd lemwn, y croen lemwn a'r persli gyda'i gilydd i wneud y trochiad.
3. Ffrio'r cocos mewn cytew am ychydig iawn o amser nes iddynt chwyddo a throi'n frown. *(Bydd oddeutu 4 neu 5 o gocos ymhob llwyaid o'r cytew.)* Peidiwch â choginio gormodedd ohonynt gyda'i gilydd neu mi fyddant yn glynu at ei gilydd. Dodwch y cocos ar bapur amsugnol i gael gwared o unrhyw saim.
4. Gweinir tua 5 neu 6 o'r bwndeli cocos ar blât bach gyda'r trochiad wrth eu hymyl. Addurnir â'r darn lemwn a phersli. Gellir cynnig darnau o fara brown tenau gyda hwy.

GEIRFA

Cocos—*cockles* Cytew—*batter* Sudd lemwn—*lemon juice* Croen lemwn—*lemon rind* Trochiad—*dip*

AWGRYM

Gellir defnyddio fforc fach neu briciau coctel i fwyta'r cocos.

15. Crempog gyda Saws Madarch a Chorgimychiaid

digon i 6

DYMA gwrs cyntaf i bryd arbennig. Gellir defnyddio'r crempogau hefyd fel prif gwrs pryd ysgafn, a'u gweini gyda bwydlysiau cymysg.

CYNHWYSION

½ peint/300 ml rysáit sylfaenol ar gyfer crempog

Y Saws

8 owns/200 gram o gorgimychiaid ffres neu wedi eu rhewi
4 owns/100 gram madarch
4 sibolsen/slots
1 twb bach 5 owns hylif/140 ml hufen dwbl
3 llond llwy fwrdd o unrhyw win gwyn (Rwy'n hoffi defnyddio gwinoedd o'r Almaen yn bennaf.)
½ llwy de o fintys y graig
2 owns/50 gram menyn
½ ciwb stoc cyw iâr neu bupur a halen i roi blas
1 llond llwy de o flawd corn wedi ei gymysgu gyda dŵr

DULL

1. Gwneud y crempogau fel yn y rysáit sylfaenol, a'u cadw nes y bydd eu hangen.
2. Torri'r sibols a'r madarch yn weddol fân a'u ffrio gyda'i gilydd yn y menyn am oddeutu 4 i 5 munud. Byddant yn feddal erbyn hynny.
3. Ychwanegu mintys y graig a naill ai'r ciwb stoc neu'r pupur a halen i ychwanegu blas. *(Bydd angen blasu'r saws cyn ei weini.)*
4. Ychwanegu'r gwin, yr hufen dwbl a'r blawd corn wedi'i gymysgu gyda dŵr. Mae'r blawd yn tewychu'r saws ychydig a hefyd yn rhwystro'r hufen rhag cawsio.

5. Ychwanegu'r corgimychiaid ar y funud olaf. Cofiwch wneud yn sicr eu bod wedi twymo trwyddynt. Os ydych yn defnyddio rhai wedi eu rhewi, gwnewch yn siŵr eu bod wedi dadmer yn llwyr cyn eu defnyddio.
6. Cynhesu'r crempogau. Mae angen dwy i bob person fel cwrs cyntaf. Fe fyddaf yn eu rholio ac yna eu rhoi gyda'i gilydd ar blât canolig.
7. Tywallt stribyn o saws dros ganol y ddwy grempog a thaenellu persli wedi ei falu'n fân drostynt.
8. Gweini'r saig ar unwaith.
9. Nid yw'r saws yn addas i'w rewi.

GEIRFA

Madarch—*mushrooms* Corgimychiaid—*prawns* Bwydlysiau cymysg—*mixed salads*
Owns hylif—*fluid ounce* Hufen dwbl—*double cream* Ciwb stoc—*stock cube*
Mintys y graig—*marjoram* Cawsio—*curdle* Taenellu—*sprinkle*

16. Cig Oen mewn Mêl a Seidr

digon i 6-8

DOES dim blas tebyg i gig oen Cymreig cyntaf y tymor. Mae ei flas yn felys a'r cig ei hun yn arbennig o frau.

CYNHWYSION

coesyn cyfan o gig oen Cymreig (Gofynnwch i'ch cigydd dynnu'r asgwrn a rholio'r cig. Gellir defnyddio golwython cig oen os dymunir.)
seidr o unrhyw fath i goginio'r cig
2 lond llwy de o rosmari wedi ei sychu neu 2 sprigyn o rosmari ffres
2 lond llwy fwrdd o fêl Cymreig (Mae'r math rhedegog yn haws i'w ddefnyddio.)
1 ciwb stoc cyw iâr
ychydig o bupur a halen
oddeutu 2 lond llwy fwrdd o flawd corn wedi ei gymysgu gyda dŵr

DULL

1. Dodi'r cig mewn tun rhostio a thywallt seidr hyd hanner isaf y cig. Os ydych yn defnyddio golwython, gorchuddiwch hwy â'r seidr.
2. Rhoi'r rhosmari ac ychydig o bupur a halen dros y cig.
3. Gorchuddio'r cig â phapur gloyw neu orchudd eich tun rhostio. Coginio'r cig yn araf *(nwy 4/170°C)* am oddeutu 4 awr. O wneud hyn, fe fydd y cig yn hynod frau. Wrth gwrs os ydych yn defnyddio golwython, fe fyddant wedi coginio mewn rhyw 1½ awr. Mae'n bwysig edrych ar y cig o bryd i'w gilydd rhag ofn i'r seidr sychu. Ychwanegwch fwy o seidr os oes angen. Os nad oes gennych fwy o seidr, ychwanegwch ddŵr a chodi'r hylif dros wyneb y cig gyda llwy er mwyn ei wlychu.
4. Pan fo'r cig yn barod, gellir ei dorri'n haenau a'i gadw'n gynnes wedi ei orchuddio â phapur gloyw hyd nes i'r saws gael ei baratoi. Ffordd well o wneud hyn yw gadael i'r cig oeri'n gyfan gwbl yn yr oergell. Bydd wedyn yn torri'n llawer haws. Gwell gadael i'r hylif coginio oeri hefyd er mwyn i'r saim gael cyfle i godi'n haen galed ar wyneb yr hylif. Mae tipyn go lew o saim yn dod allan o gig oen wrth ei goginio

ac nid ydych eisiau i hwn amharu ar y saws. Wedyn gellir tynnu'r haen o saim oddi ar yr hylif coginio a'i daflu.

5. Cynhesu'r hylif coginio ac ychwanegu'r mêl a'r ciwb stoc ato. Ychwanegu oddeutu hanner y blawd corn a'r dŵr a'i chwisgio'n galed nes i'r saws ferwi. Os nad yw'r saws yn ddigon tew, yna ychwanegwch fwy o'r blawd corn a dŵr nes iddo gyrraedd y trwch a ddymunir. Blasu'r saws ac ychwanegu mwy o halen os oes angen.
6. Y ffordd orau i aildwymo'r cig yw ei roi mewn haenau ar blât, ei orchuddio â phapur glynu a thyllau ynddo, ac yna ei roi yn y microdon am 3 neu 4 munud nes y bydd yn boeth iawn.
7. Gweinir y cig ar ychydig o saws neu fe ellir tywallt y saws dros y cig a thaenellu persli wedi ei dorri'n fân drosto.

GEIRFA

Coesyn o gig oen Cymreig—*leg of Welsh lamb* Golwython—*chops* Seidr—*cider* Rhosmari—*rosemary*
Mêl—*honey* Mêl rhedegog—*clear honey* Ciwb stoc—*stock cube* Blawd corn—*cornflour* Saim—*fat*
Hylif coginio—*cooking liquid* Taenellu—*sprinkle* Papur glynu—*cling-film* Papur gloyw—*kitchen foil*

AWGRYM

Os oes peth o'r cig oen ar ôl, mae'n hyfryd wedi ei weini'n oer gyda jeli mintys. Mae'r cig wedi amsugno blas y seidr a'r rhosmari.

17. Cig Oen gyda Stwffin a Saws Bricyll

digon i 8

CYNHWYSION

2 ddarn o gig oen Cymreig (darn gorau'r gwddf)

Stwffin
6 owns/150 gram briwsion bara ffres
1 nionyn mawr
1 owns/25 gram menyn
4 owns/100 gram bricyll wedi eu sychu (Byddaf yn defnyddio rhai nad oes angen eu mwydo.)
1 llond llwy de o deim wedi ei sychu
1 wy
pupur a halen

Saws
1 tun mawr bricyll mewn syrup
1 nionyn canolig
1 darn garlleg
1 owns/25 gram menyn
2 lond llwy fwrdd o hufen dwbl
Pupur a halen

DULL

1. Gofyn i'r cigydd dynnu'r esgyrn o'r darnau cig oen neu fe ellwch wneud y gwaith eich hun.
2. I wneud y stwffin:
   a) Paratoi'r briwsion bara. Byddaf yn defnyddio'r prosesydd bwyd i wneud hyn.
   b) Tynnu'r croen a thorri'r nionyn yn fân a'i ffrio yn y menyn nes y bydd yn feddal.
   c) Rhoi'r briwsion a'r nionyn mewn powlen gymysgu ac ychwanegu'r bricyll wedi eu torri'n ddarnau gweddol fach. *(Byddaf yn defnyddio siswrn cegin i wneud y gwaith hwn.)*
   ch) Ychwanegu'r teim a phupur a halen.

   d) Curo'r wy yn ysgafn a'i gymysgu i mewn i'r cynhwysion er mwyn iddynt lynu at ei gilydd.

3. Dodi'r cig yn fflat ar fwrdd a thaenu'r stwffin ar yr ochr fewnol. Rholio'r cig a'i glymu gyda llinyn mewn dau neu dri man.
4. Rhoi'r cig ar rac goginio gydag ychydig o fenyn a phupur a halen drosto. Ei orchuddio â phapur gloyw am y rhan gyntaf o'r amser coginio ac yna tynnu'r papur gloyw am y rhan olaf. *(Gweler amseroedd rhostio cig ar dudalen 149.)* Cofiwch frasteru'r cig o bryd i'w gilydd.
5. Yn y cyfamser gwnewch y saws:
   a) Tynnu croen y nionyn, ei dorri'n fân a'i ffrio yn y menyn.
   b) Tynnu croen y garlleg, ei wasgu i mewn i'r nionyn a'u ffrio'n araf gyda'i gilydd nes i'r nionyn feddalu.
   c) Ychwanegu'r bricyll a'r syrup o'r tun a'u berwi'n araf am ryw 10-15 munud gyda chaead ar y badell.
   ch) Ychwanegu pupur a halen i'r cymysgedd.
   d) Rhoi'r cymysgedd yn y prosesydd bwyd nes cael hylif hufennog llyfn.
   dd) Ei roi yn ôl yn y badell i'w aildwymo ac ychwanegu'r hufen. Peidiwch â'i ferwi unwaith mae'r hufen wedi ei ychwanegu neu fe fydd y saws yn cawsio.
6. Pan fydd y cig yn barod, torri'r llinyn ac yna torri'r ddau ddarn yn bedwar yr un.
7. Rhoi ychydig o saws ar bob plât ac yna rhoi'r darn cig oen arno gyda'r stwffin i'w weld.
8. Addurno'r saig â chlwstwr o ferwr dŵr.

GEIRFA

Cig oen—*lamb* Bricyll—*apricots* Darn gorau'r gwddf—*best end of neck, forming a rack of lamb*
Bricyll wedi eu sychu—*dried apricots* Teim—*thyme* Wy—*egg* Mwydo—*soak*
Bricyll mewn syrup—*apircots in syrup* Nionyn canolig—*medium-sized onion* Garlleg—*garlic*
Hufen dwbl—*double cream* Cigydd—*butcher* Esgyrn *bones* Briwsion bara—*breadcrumbs*
Ffrio—*fry* Siswrn cegin—*kitchen sissors* Curo—*beat* Glynu—*stick* Taenu—*spread*
Rholio—*roll* Clymu—*tie* Llinyn—*string* Rac goginio—*rack* Papur gloyw—*kitchen foil*
Brasteru—*baste* Yn y cyfamser—*in the meantime* Gwasgu—*squeeze* Meddalu—*soften* Caead—*lid*
Padell—*pan* Prosesydd bwyd—*food processor* Hylif hufennog llyfn—*creamy smooth liquid*
Aildwymo—*to reheat* Saws—*sauce* Cawsio—*to curdle* Clwstwr—*bunch* Berwr dŵr—*watercress*

18. Pastai Ffowlyn Cymreig

digon i 4-5

DYMA hen rysáit Cymreig yr wyf i wedi ei addasu.

CYNHWYSION

4 owns/100 gram crwst blawd cyflawn (rysáit rhif 2)
1-1½ pwys/400-600 gram cyw iâr wedi ei goginio
12 owns/300 gram cennin
2 owns/50 gram menyn
1 llond llwy de o fintys y graig
pupur a halen neu ½ ciwb stoc cyw iâr wedi ei gymysgu gyda dŵr poeth
½ peint/300 ml hufen dwbl

DULL

1. Glanhau a thorri'r cennin yn weddol fân a'u ffrio yn y menyn nes y byddant wedi meddalu.
2. Torri'r cyw iâr yn ddarnau bras a rhoi'r darnau mewn powlen gymysgu.
3. Ychwanegu'r cennin, mintys y graig, pupur a halen neu giwb stoc a'r hufen dwbl. Eu cymysgu'n dda a'u rhoi mewn dysgl addas i'w rhoi yn y ffwrn.
4. Rholio'r crwst yn ddigon mawr i orchuddio'r ddysgl. Torri twll yn wyneb y crwst.
5. Dodi'r bastai yn y ffwrn *(nwy 4/170°C)* am oddeutu 20 munud—digon hir i'r crwst goginio ac i'r llenwad boethi.
6. Gweinir yn boeth gyda thatws rhost a llysiau tymhorol.

Os ydych yn llysieuwr mae pastai wedi ei gwneud â'r cennin yn unig yn hynod flasus. Wrth gwrs, bydd eisiau oddeutu 1½ pwys/600 gram o gennin i wneud hyn.

GEIRFA

Pastai ffowlyn Cymreig—*Welsh chicken pie* Addasu—*adapt* Crwst blawd cyflawn—*wholemeal pastry* Cyw iâr—*chicken* Cennin—*leeks* Mintys y graig—*Marjoram* Ciwb stoc—*stock cube* Hufen dwbl—*double cream* Ffrio—*fry* Meddalu—*soften* Darnau bras—*large pieces* Powlen gymysgu—*mixing bowl* Rholio—*roll* Llenwad—*filling* Tatws rhost—*roast potatoes* Llysieuwr—*vegetarian*

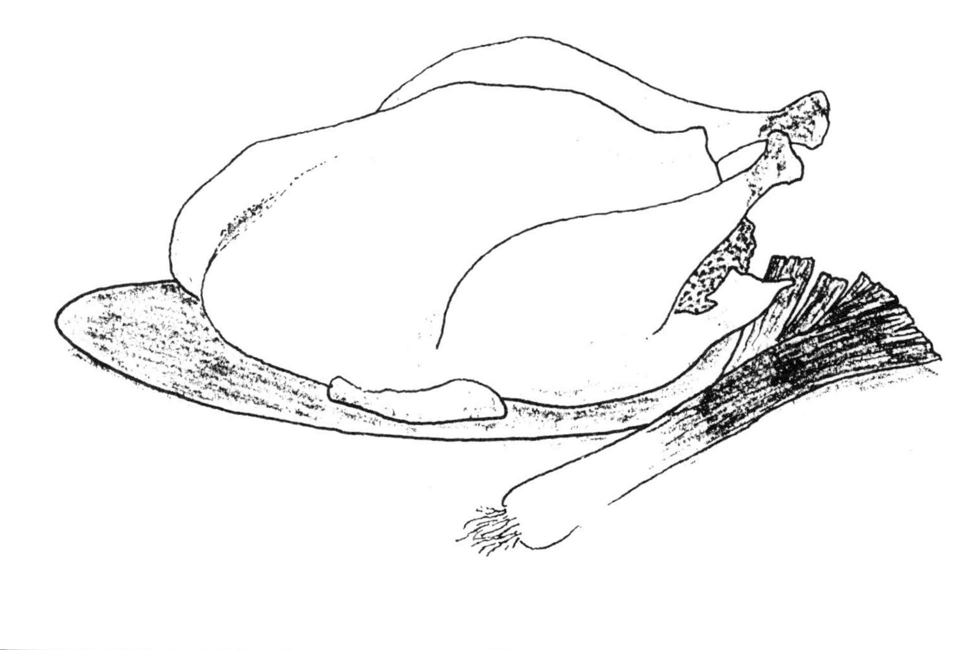

19. Cyw Iâr gyda Saws Oren a Gwin Gwyn

digon i 4

MAE'R saws yma yn mynd yn dda gyda hwyaden hefyd ac, am newid, gellir ei ddefnyddio gyda physgod gwyn.

CYNHWYSION

4 darn cyw iâr neu gyw iâr cyfan
2 sibolsen/slots
½ owns/13 gram menyn
sudd 2 oren mawr
croen 1 oren wedi ei ratio'n fân
3 owns hylif/75 ml gwin gwyn gweddol felys
1½ llond llwy fwrdd o siwgr demerara
½ llond llwy de o flawd corn wedi ei gymysgu gyda dŵr

DULL

1. Rhostio'r darnau cyw iâr neu'r cyw iâr cyfan yn y ffwrn nes ei fod yn barod. *(Rysáit rhif 66.)*
2. Ffrio'r sibols, wedi eu torri'n fân, am ychydig funudau yn y menyn—mae angen iddynt feddalu.
3. Ychwanegu sudd a chroen yr oren, y gwin gwyn a'r siwgr demerara i'r badell a gadael iddynt ferwi gyda'i gilydd am 15 munud. Erbyn hynny, bydd yr hylif wedi lleihau ychydig.
4. Ychwanegu'r blawd corn a'r dŵr a berwi'r saws am funud ychwanegol er mwyn iddo dewychu ychydig. Mae'n bwysig chwisgio neu droi'r saws yn gyson ar ôl ychwanegu'r blawd corn.
5. Gweinir y saws dros y cyw iâr neu gellir rhoi'r saws ar y plât gyntaf a rhoi'r cyw iâr ar ei ben. Fe ellir hefyd ei roi mewn jwg saws a'i weini ar wahân.
6. Byddaf yn hoffi addurno'r saig â chlwstwr o ferwr dŵr.

GEIRFA

Cyw iâr—*chicken* Saws oren a gwin gwyn—*orange and white wine sauce*
Sibolsen neu slots—*spring onions* Owns hylif—*fluid ounce* Siwgr demerara—*demerara sugar*
Blawd corn—*cornflour* Rhostio—*roast* Ffrio—*fry* Sudd—*juice* Croen—*skin or rind* Hylif—*liquid*
Jwg saws—*sauce boat* Addurno—*decorate or garnish* berwr dŵr—*watercress*

20. Golwython Porc gyda Saws Barbeciw

digon i 4

CYNHWYSION

4 golwyth porc
menyn i goginio
pupur a halen
3 sibolsen/slots
1 owns/25 gram menyn
½ peint/300 ml stoc cyw iâr
3 llond llwy fwrdd saws tomato *(ketchup)*
1 llond llwy fwrdd saws Caerwrangon
1 llond llwy fwrdd syrup neu fêl

DULL

1. Dodi'r golwython porc mewn tun rhostio cig gyda darnau o fenyn drostynt ac ychydig o bupur a halen. Byddaf yn rhoi ychydig o ddŵr ar waelod y tun rhag i'r cig sychu. *(Mae porc yn dueddol o fod yn gig sych.)* Coginio'r golwython *(nwy 4/170°C)* am oddeutu 1-1½ awr.
2. I wneud y saws:
   a) Torri'r sibols yn fân a'u ffrio yn y menyn nes y byddant wedi meddalu.
   b) Ychwanegu'r stoc a'r cynhwysion eraill.
   c) Berwi'r saws yn araf am oddeutu 20 munud. Fe fydd wedi lleihau a hefyd wedi tewychu ychydig a'r blas wedi cryfhau.
3. Gweinir y saws dros y golwython. Mae tatws trwy'u crwyn yn addas i'w gweini gyda'r porc a hefyd corn melys a bwydlys cymysg.

Gellir defnyddio'r saws yma gyda chyw iâr os dymunir.

GEIRFA

Golwython—*chops* Sibolsen/slots—*spring onions* Stoc cyw iâr—*chicken stock*
Saws Caerwrangon—*Worcester Sauce* Syrup melyn—*golden syrup* Mêl—*honey*
Tun rhostio—*roasting tin* Ffrio—*fry* Lleihau—*reduce* Tewychu—*thicken* Cryfhau—*become stronger*
Tatws trwy'u crwyn—*jacket potatoes* Corn melys—*sweetcorn* Bwydlys cymysg—*mixed salad*

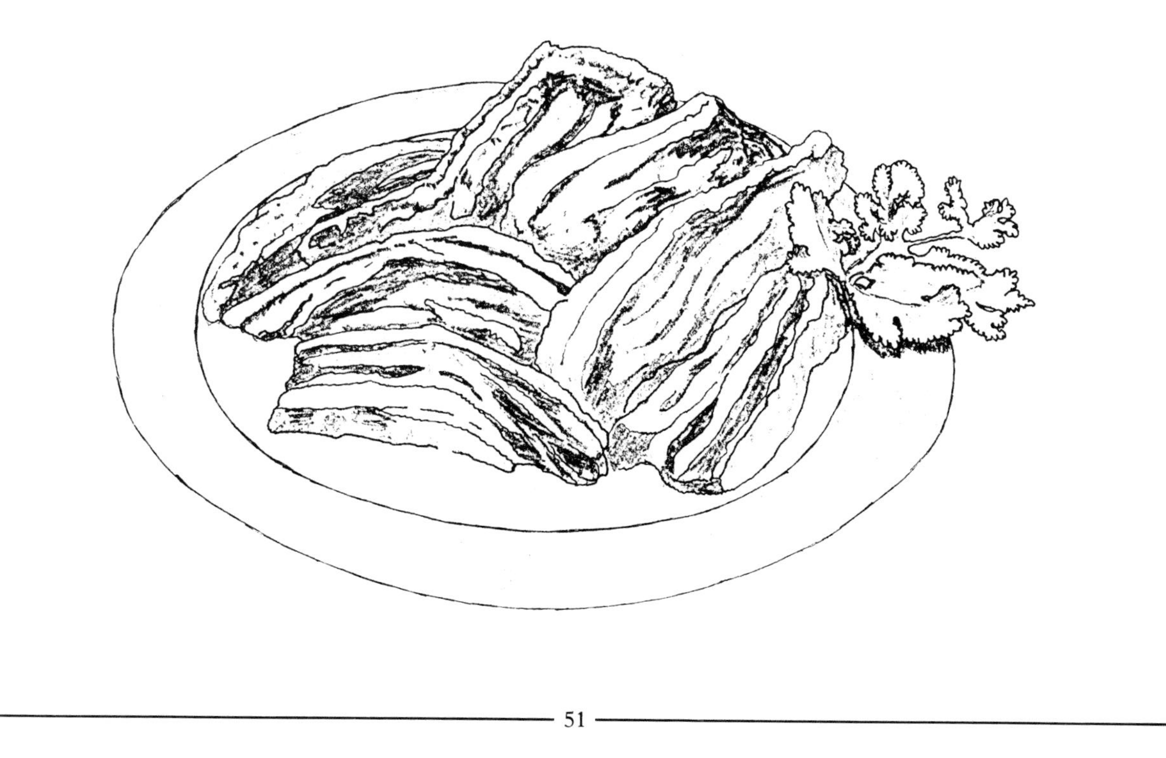

21. Cig Eidion mewn Cwrw

digon i 6

DYMA fy addasiad o rysáit a ddaw yn wreiddiol o Wlad Belg.

CYNHWYSION

2½ pwys cig eidion addas i'w stiwio
2 owns/50 gram menyn
6 nionyn
1 darn garlleg
¾ peint/450 ml stoc cig eidion
¾ peint/450 ml cwrw ysgafn
1 llond llwyd fwrdd o siwgr demerara
1 llond llwy fwrdd o finegr
2 ddeilen llawryf
pupur a halen
2 lond llwy fwrdd o flawd corn wedi ei gymysgu gyda dŵr

DULL

1. Tynnu'r braster oddi ar y cig, ei dorri'n giwbiau a'i ffrio'n sydyn yn y menyn er mwyn iddo frownio ychydig. Dylid defnyddio sosban fawr drom.
2. Tynnu'r croen a thorri'r nionod yn gylchoedd tenau a'u hychwanegu at y cig.
3. Tynnu croen y garlleg, ei wasgu a'i ychwanegu i'r sosban.
4. Ychwanegu'r stoc, y cwrw, y dail llawryf, y siwgr, y finegr, y pupur a'r halen a chodi'r cymysgedd i ferw.
5. Troi'r gwres i lawr a'i goginio'n araf am oddeutu 2 awr. Erbyn hynny fe fydd y cig yn frau.
6. Blasu'r cymysgedd rhag ofn fod angen ychwanegu mwy o bupur a halen.
7. Tewychu'r hylif drwy ychwanegu'r blawd corn a'r dŵr. Rhaid troi'r cymysgedd drwy'r amser wrth i'r hylif dewychu.
8. Gellir torri darnau o fara Ffrengig gyda mwstard Ffrengig wedi ei

daenu arnynt. Mae angen dodi'r cymysgedd cig mewn dysgl addas i'w rhoi yn y popty a rhoi'r bara ar yr wyneb—mae'n rhaid ei bwyso i lawr i'r hylif yn gyntaf. Dodi'r ddysgl yn y ffwrn am ryw 15 munud er mwyn i'r darnau bara grasu.

9. Rwyf yn hoffi gweini'r Cig Eidion mewn Cwrw gyda reis cyflawn a bresych.

GEIRFA

Cig eidion—*beef* Cwrw—*beer* Cwrw ysgafn—*light ale* Nionyn—*onion* Garlleg—*garlic*
Stoc cig eidion—*beef stock* Siwgr demerara—*demerara sugar* Deilen llawryf—*bay leaf*
Blawd corn—*cornflour* Braster—*fat* Ciwbiau—*cubes* Cylchoedd—*rings* Gwasgu—*squeeze*
Berwi—*boil* Brau—*tender* Blasu—*taste* Tewychu—*thicken* Troi—*stir*
Bara Ffrengig—*French bread* Mwstard Ffrengig—*French mustard* Taenu—*spread* Crasu—*toast*
Reis cyflawn—*brown rice* Bresych—*cabbage*

22. Stecen Cig Eidion Sŵn-y-Môr

digon i 4

CYNHWYSION

unrhyw fath o stecen cig eidion—digon i 4
cymysgedd o fenyn ac olew i ffrio (ychydig yn unig)
pupur a halen
1 owns/25 gram moron
1 owns/25 gram rwden
1 owns/25 gram courgettes
1 owns/25 gram madarch
1 owns/25 gram sibols/slots
2 lond llwy fwrdd o chwisgi Cymreig Sŵn-y-Môr
3 owns hylif/90 ml hufen dwbl
½ llond llwy de o fwstard Cymreig gyda mêl

DULL

1. Curo'r cig gyda morthwyl arbennig i'w freuo. Taenellu pupur a halen ar y ddwy ochr a'i ffrio yn y cymysgedd o fenyn ac olew—5-8 munud os ydych yn hoffi cig sydd wedi ei goginio'n ysgafn, 8-10 munud os ydych yn ei hoffi wedi ei goginio'n weddol dda ac yna ychydig mwy o amser os ydych yn ei hoffi wedi ei goginio'n dda iawn.
2. Codi'r cig o'r badell a'i roi ar un ochr. Ffrio'r llysiau (wedi eu torri'n ddarnau tenau tebyg i fatsys) am oddeutu 5 munud nes y byddant wedi meddalu. Dychwelyd y cig i'r badell.
3. Rhoi'r chwisgi mewn lletwad a'i ddal dros wres nes iddo gynhesu. Tanio matsen a'i rhoi wrth y chwisgi i losgi'r alcohol. Pan fydd wedi cynnau, ei arllwys dros y cig a'r llysiau—bydd yn dal ynghynn am ychydig eiliadau.
4. Ychwanegu'r hufen a'r mwstard.
5. Profwch y saws i wneud yn sicr fod digon o halen ynddo.
6. Gweinir y cig gyda'r saws o'i amgylch.
7. Mae tatws wedi eu ffrio, blodfresych gaeaf a bwydlys gwyrdd yn mynd yn dda gyda'r saig yma.

GEIRFA

Stecen cig eidion—*beef steak* Moron—*carrots* Rwden—*swede* Madarch—*mushrooms*
Sibols—*spring onions* Chwisgi Cymreig—*Welsh whisky* Hufen dwbl—*double cream*
Mwstard Cymreig gyda mêl—*Welsh mustard with honey* Curo—*beat* Morthwyl—*hammer*
Breuo—*tenderise* Taenellu—*to sprinkle* Cymysgedd—*mixture* Padell—*pan* Llysiau—*vegetables*
Matsys—*matches* Lletwad—*ladle* Arllwys—*pour* Ynghynn—*alight* Profi—*taste*
Tatws wedi eu ffrio—*sauté potatoes* Blodfresych gaeaf—*broccoli* Bwydlys gwyrdd—*green salad* Saig—*dish*

23. Rholiau Lleden gyda Saws Madarch Hufennog

digon i 6

MAE'N werth prynu'r pysgod yng Nghonwy yn ystod eu tymor oherwydd eu bod yn rhai gwerth chweil.

CYNHWYSION

6 darn mawr o leden
4 owns hylif/100 ml gwin gwyn

Stwffin
4 owns/100 gram briwsion bara gwyn
6 owns/150 gram madarch
3 sibolsen/slots
croen ½ lemwn
½ llond llwy de o fintys y graig wedi ei sychu neu 1 llond llwy de os yw yn ffres
1 owns/25 gram menyn
1 wy
pupur a halen

Saws
4 owns/100 gram madarch
2 sibolsen
1 owns/25 gram menyn
croen ½ lemwn
½ llond llwyd de mintys y graig wedi ei sychu
2 lond llwy fwrdd hufen dwbl
pupur a halen
½ llond llwy de o flawd corn wedi ei gymysgu gyda dŵr

DULL

1. Tynnu'r croen oddi ar y pysgod:
   a) gosod y darnau gyda'r croen isaf.
   b) gafael yn dynn yn y darn a'i godi i fyny ychydig ac, â chyllell

fain finiog, torri'r cig oddi ar y croen.

c) taflu'r croen.

2. Gwneud y stwffin:
   a) torri'r madarch a'r sibols yn fân a'u ffrio yn y menyn nes y byddant yn feddal.
   b) ychwanegu'r croen lemwn, mintys y graig, pupur a halen.
   c) gwneud briwsion o'r bara. Gellir defnyddio prosesydd bwyd i wneud hyn. Eu rhoi mewn powlen.
   ch) ychwanegu'r cymysgedd madarch i'r bowlen.
   d) ychwanegu'r wy wedi ei guro er mwyn dod â'r cynhwysion at ei gilydd.
3. Rhannu'r stwffin rhwng y darnau pysgod ac yna eu rholio o'r pen llydan. Defnyddio priciau coctel i'w cadw wedi eu cau yn dynn. Byddaf i'n torri pob rholyn yn ddau gyda chyllell finiog—maent yn edrych yn well ar blât.
4. Dodi'r rholiau wrth ochr ei gilydd mewn dysgl addas i'w rhoi yn y ffwrn. Dodi mymryn o fenyn ar ben bob un a thywallt y gwin drostynt. Ychwanegu ychydig o bupur a halen.
5. Coginio'r pysgod am oddeutu 35 munud *(nwy 5/190°C)*.
6. Yn y cyfamser, paratoi'r saws:
   a) torri'r madarch a'r sibols a'u ffrio yn y menyn nes y byddant wedi meddalu.
   b) ychwanegu'r croen lemwn, mintys y graig ac ychydig o bupur a halen.
   c) pan fydd y pysgod yn barod, tywallt yr hylif coginio i mewn i'r saws (cadw'r pysgod yn gynnes).
   ch) ychwanegu'r blawd corn yn ofalus gan droi'r cymysgedd yn gyson nes y bydd wedi tewychu ychydig.
   d) ychwanegu'r hufen.
7. Gweinir 2 o'r rholiau lleden i bob person gyda'r saws drostynt.
8. Eu haddurno gyda phersli wedi ei dorri'n fân a darnau o lemwn.
9. Maent yn mynd yn dda gyda sglodion, tomatos wedi eu gridyllu a chorn melys.

GEIRFA

Rholiau—*rolls* Lleden—*plaice* Madarch—*mushrooms* Hufennog—*creamy* Gwerth chweil—*superb* Owns hylif—*fluid ounce* Gwin gwyn— *white wine* Briwsion bara gwyn—*white breadcrumbs* Sibolsen—*spring onion* Croen lemwn—*lemond rind* Mintys y graig—*marjoram* Menyn—*butter* Wy—*egg* Hufen dwbl—*double cream* Blawd corn—*cornflour* Gafael—*hold* Yn dynn—*tightly* Cyllell fain finiog—*thin sharp knife* Taflu—*throw* Stwffin—*stuffing* Prosesydd bwyd—*food processor* Curo—*beat* Tywallt—*pour* Yn y cyfamser—*in the meantime* Saws—*sauce* Hylif coginio—*cooking liquid* Sglodion—*chipped potatoes* Gridyllu—*to grill* Corn melys—*sweetcorn*

24. Brithyll a Chig Moch

digon i 4

OS NAD ydych am ddal eich brithyll o'r afonydd, mae'n bosibl, bellach, eu prynu'n syth o'r ffermydd pysgod sydd i'w cael ledled y wlad. Mae hi hefyd yn hyfryd gweld siopau pysgod ffres eto ar ôl dioddef pysgod wedi eu rhewi am flynyddoedd. Fe es i siop bysgod dda iawn yn ddiweddar yn Stryd y Farchnad, Llandudno, a braf oedd gweld y fath ddewis yno a llawer ohonynt wedi eu dal yn lleol. Wrth gwrs, dibynna'r dewis o gynnyrch lleol ar ba dymor o'r flwyddyn yw hi.

CYNHWYSION

4 brithyll
8 darn o gig moch brith (Byddaf i'n hoffi defnyddio cig moch sydd wedi ei fygu.)
2 sibolsen/slots
croen 1 lemwn wedi ei ratio'n fân
1 llond llwy fwrdd o bersli ffres wedi ei dorri'n fân
2 owns/50 gram menyn
pupur a halen

DULL

1. Yn bersonol, gwell gennyf dorri pennau'r brithyll i ffwrdd ond penderfyniad i chi yw hynny.
2. Er mwyn hwylustod, gwell yw tynnu'r esgyrn o'r pysgodyn. Dyma'r ffordd i wneud hynny:
   a) Rhoi'r pysgodyn ar fwrdd pwrpasol a'i agor allan (rwyf yn cymryd fod y pysgodyn wedi ei lanhau yn barod) gyda'r cnawd ar y bwrdd a'r croen ar i fyny.
   b) Pwyso'n galed gyda'r bawd ar hyd yr asgwrn cefn.
   c) Troi'r pysgodyn fel bod y croen ar y bwrdd.
   ch) Mae'r asgwrn cefn yn rhydd bellach ac fe ellwch ei weithio yn hawdd oddi ar y pysgodyn gyda'ch bysedd. Bydd y mân esgyrn yn dod i ffwrdd hefyd.
3. Cymysgu'r sibols wedi eu torri'n fân, y croen lemwn wedi ei ratio a'r persli wedi ei dorri, gyda'i gilydd. Rhannu'r cymysgedd hwn a'i roi y tu mewn i bob pysgodyn gyda phupur a halen a darn bach o fenyn.
4. Cau'r pysgodyn a lapio dau ddarn o gig moch brith o amgylch pob un.

5. Rhoi'r pysgod yn agos at ei gilydd mewn tun neu mewn dysgl goginio. Ychwanegu mymryn o bupur a halen a gweddill y menyn mewn tameidiau ar bob pysgodyn.
6. Gorchuddio'r pysgod â phapur gloyw a'u coginio yn y ffwrn am oddeutu 20 munud *(nwy 4-5/180°C).*
7. Yna, am bum munud ychwanegol, tynnu'r papur gloyw a rhoi'r pysgod yn ôl yn y ffwrn er mwyn i'r cig moch grimpio ychydig.
8. Gweinir y brithyll gyda darn o lemwn a phersli i'w addurno.

GEIRFA

Brithyll—*trout* Cig moch—*bacon* Cig moch brith—*streaky bacon* Papur gloyw—*kitchen foil* Papur glynu—*cling-film* Microdon—*microwave*

AWGRYM

Fe ellir coginio'r brithyll wedi eu gorchuddio â phapur glynu (gyda thyllau ynddo) yn y microdon. Mae hyn yn cymryd oddeutu 10 munud i 4 pysgodyn. Wrth gwrs, ni fydd y cig moch yn crimpio ond mae'n rhaid i mi gyfaddef fod y microdon yn coginio pysgod yn dda.

25. Eog gyda Saws Corgimychiaid

digon i 4-6 (o ran saws)

CYNHWYSION

4-6 darn o eog

Saws
4 owns/100 gram corgimychiaid
1 sibolsen/slots
½ owns/13 gram menyn
croen ½ lemwn wedi ei ratio
½ llond llwy de o ffenigl sych
¼ peint/150 ml hufen dwbl
½ llond llwy de o flawd corn wedi ei gymysgu gyda dŵr
pupur a halen

DULL

1. Coginio'r eog trwy ei stemio:
   a) Dodi pob eog ar ddarn unigol o bapur gloyw wedi ei iro'n dda gyda menyn.
   b) Taenellu ychydig o bupur a halen dros bob un a chau'r papur gloyw amdanynt.
   c) Rhoi'r pecynnau mewn padell gyda dŵr yn eu gorchuddio a'u stemio am 20 munud i bob pwys unigol o gig.
   ch) Os ydych am weini'r darnau eog yn oer, peidiwch â thynnu'r papur gloyw oddi arnynt nes iddynt oeri.
2. I wneud y saws:
   a) Torri'r sibolsen yn fân a'i ffrio'n araf yn y menyn am ryw 2 funud.
   b) Ychwanegu'r croen lemwn wedi ei ratio'n fân a'r ffenigl.
   c) Arllwys yr hufen i'r badell ac ychwanegu'r blawd corn a'r dŵr gan ei gymysgu drwy'r amser nes i'r saws dewychu.
   ch) Ychwanegu'r corgimychiaid ac ychydig o bupur a halen a'u cynhesu yn y saws.

3. Gweinir yr eog gyda'r saws drosto neu o'i amgylch. Addurnir â darnau o ffenigl ffres a lemwn.

GEIRFA

Eog—*salmon* Corgimychiaid—*prawns* Sibolsen—*spring onion* Lemwn—*lemon* Ffenigl—*dill, fennel* Hufen dwbl—*double cream* Blawd corn—*cornflour* Unigol—*individual* Papur gloyw—*kitchen foil* Iro—*grease* Taenellu—*sprinkle* Pecynnau—*parcels* Padell—*pan* Oeri—*become cold* Ffrio—*fry* Arllwys—*pour* Tewychu—*thicken* Cynhesu—*warm*

26. Salad Ffrwythau Ffres

digon i 4

YN Y mwyafrif o ryseitiau salad ffrwythau ffres, mae angen gwneud syrup siwgr ond credaf fod yr isod yn ffordd well a llawer mwy blasus gan fod blas y ffrwyth yn gryfach ac yn fwy naturiol.

CYNHWYSION

Gellir defnyddio unrhyw ffrwythau ffres mewn unrhyw gyfuniad ond mae'n bwysig defnyddio oddeutu 3 oren er mwyn cael digon o sudd

5 oren
2 afal bwyta
1 ellygen
2 ffrwyth ciwi
2 fanana
4 owns/100 gram grawnwin du neu wyrdd
unrhyw ffrwythau ffres eraill sydd ar gael (dibynnu pa dymor o'r flwyddyn yw hi)
5 owns/150 gram siwgr mân

Dull

1. Mae angen tynnu croen allanol a chroen gwyn mewnol yr orenau. Dyma'r ffordd orau o wneud hynny:
   a) Torri pen yr oren gyda chyllell finiog.
   b) Yna gyda chyllell finiog *(byddaf i yn defnyddio un ddanheddog)*, llifio'r croen oddi ar yr oren a chael gwared o'r croen gwyn mewnol yr un pryd.
   c) Torri'r segmentau oddi wrth ei gilydd fel nad oes croen arnynt o gwbl.
   ch) Gwasgu croen yr oren i wneud yn siŵr nad ydych yn gwastraffu dim o'r sudd *(byddaf yn gwneud yr holl waith yma dros bowlen fel bod y sudd yn disgyn iddi)*.
   d) Rhoi'r segmentau oren yn y bowlen.
2. Tynnu croen a chael gwared o graidd yr afal ac yna torri'r afal yn fân.

(Gwell gan rai adael y croen ar y ffrwyth.) Byddaf yn hoffi torri'r ffrwythau yn weddol fân mewn salad ffrwythau. Rhoi'r afal yn y bowlen.

3. Tynnu croen a chael gwared o graidd yr ellygen ac yna ei thorri yn fân. Ei rhoi yn y bowlen.
4. Tynnu croen y ffrwythau ciwi, eu torri'n fân a'u rhoi yn y bowlen.
5. Tynnu croen a thorri'r 2 fanana yn denau cyn eu hychwanegu i'r bowlen.
6. Torri'r grawnwin yn eu hanner, tynnu'r hadau allan, a'u rhoi yn y bowlen gyda gweddill y ffrwythau.
7. Arllwys y siwgr dros y ffrwythau a'u cymysgu yn ofalus (heb dorri'r ffrwythau) gyda llwy fwrdd. Gorchuddio'r bowlen gyda phapur glynu a'i rhoi yn yr oergell am oddeutu awr. Bydd angen troi'r ffrwythau unwaith neu ddwy yn ystod yr amser yma. Fe fydd y siwgr wedi tynnu sudd naturiol y ffrwythau oddi wrthynt a bydd hylif hynod flasus wedi ei baratoi o amgylch y ffrwythau yn ddidrafferth hollol.

GEIRFA

Salad ffrwythau ffres—*fresh fruit salad* Syrup siwgr—*sugar syrup* Oren—*orange*
Afal bwyta—*eating apple* Gellygen—*pear* Ffrwyth ciwi—*Kiwi fruit* Grawnwin—*grapes*
Cyllell ddanheddog—*serrated knife* Segmentau—*segments* Craidd afal—*apple core*
Siwgr mân—*caster sugar* Cyfuniad—*combination*

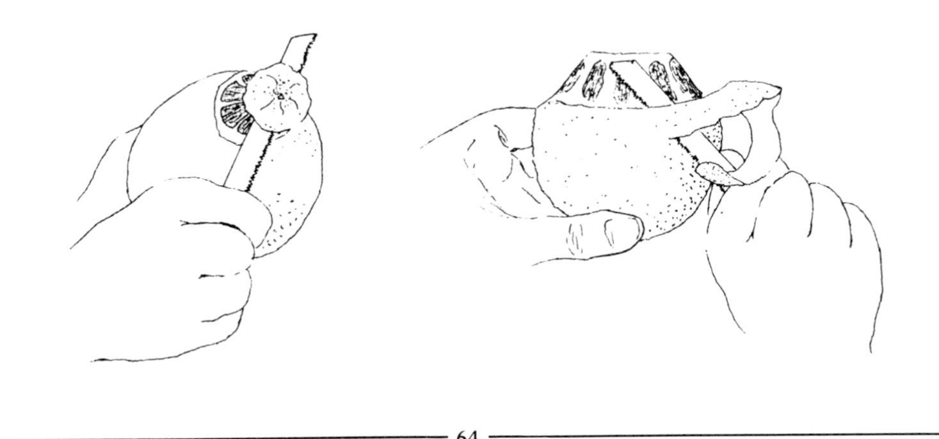

27. Treiffl Nant Gwrtheyrn

digon i 8-10

ER NAD wyf yn gweithio yn y Nant bellach, Treiffl Nant Gwrtheyrn fydd ei enw am byth. Mae llawer o'r myfyrwyr a'r ymwelwyr yno wedi profi'r treiffl hwn a gobeithio y gwnewch chi ei fwynhau gymaint â hwythau.

CYNHWYSION

1 rholen jam
oddeutu ¼ peint/150 ml sieri melys (neu fwy os dymunir!)
salad ffrwythau ffres (oddeutu ½ rysáit rhif 26)
1 paced sengl o gymysgedd cwstard
ychydig llai nag 1 peint/600 ml llefrith
3 owns/75 gram siwgr mân
½ peint/300 ml hufen dwbl
cnau wedi eu torri neu siocled wedi ei ratio a darnau o ffrwythau ffres i addurno

DULL

1. Gan ddefnyddio paced sengl o gymysgedd cwstard ac ychydig llai na pheint o lefrith, gwnewch y cwstard gan ddilyn y cyfarwyddiadau sydd ar y pecyn. Fe fydd y cwstard ychydig tewach na'r arfer gan nad ydych yn defnyddio peint cyfan o lefrith.
2. Ychwanegu'r siwgr mân i'r cwstard poeth. Rhaid iddo fod yn weddol felys er mwyn cael cydbwysedd rhyngddo a'r ffrwythau ffres. Gadael i'r cwstard oeri.
3. Mewn powlen wydr arbennig, dodi darnau o'r rholen jam.
4. Tywallt y sieri dros y rholen jam.
5. Tywallt y salad ffrwythau ffres dros y sylfaen.
6. Tywallt y cwstard oer dros y ffrwythau.
7. Chwipio'r hufen nes y bydd yn cadw ei siâp ond ddim yn rhy dew, a'i daenu gyda chyllell dros y cwstard. Gwneud patrymau gyda fforc ar wyneb yr hufen.
8. Addurno wyneb y treiffl â chnau Ffrengig wedi eu torri'n fân, neu

gnau almwn wedi eu crasu, neu siocled wedi ei ratio'n gras. Gorffen y saig gyda darnau o ffrwythau tymhorol ffres.

GEIRFA

Rholen jam—*Swiss roll* Sieri melys—*sweet sherry*
Salad ffrwythau ffres—*fresh fruit salad* Cymysgedd cwstard—*custard mixture* Llefrith—*milk*
Siwgr mân—*caster sugar* Hufen dwbl—*double cream* Cnau—*nuts*
Cyfarwyddiadau—*instructions* Cydbwysedd-—*balance* Sylfaen—*base*
Chwipio—*whip* Taenu—*spread* Patrymau—*patterns* Addurno—*decorate* Cnau almwn—*almonds*
Crasu—*to roast* Saig—*dish* Cnau Ffrengig—*walnuts*

28. Ffŵl Eirin a Sinamon

digon i 4-6

CYNHWYSION

1 pwys/400 gram eirin
10 owns hylif/300 ml hufen dwbl
siwgr mân i felysu'r ffrwyth
½ llond llwyd de o sinamon

DULL

1. Torri'r eirin yn eu hanner a thynnu'r cerrig allan.
2. Stiwio'r eirin mewn cyn lleied o ddŵr ag sy'n bosibl er mwyn cael pwlp tew.
3. Ychwanegu digon o siwgr mân pan fydd y cymysgedd yn boeth i felysu'r ffrwyth yn ddigonol. Fe fydd yn rhaid ei brofi. Rhoi'r ffrwyth yn y prosesydd bwyd neu'r hylifydd nes cael hylif trwchus. Gadael i'r hylif ffrwythau oeri'n gyfan gwbl.
4. Chwisgio'r hufen mewn powlen nes y bydd wedi tewychu.
5. Ychwanegu'r hylif ffrwythau yn araf i'r hufen a'i gymysgu'n ysgafn. Mae angen i'r cymysgedd hufen aros yn dew, felly peidiwch ag ychwanegu gormod o'r hylif ffrwythau. Fe ddylai'r hufen droi yn lliw pinc gweddol gryf gyda blas yr eirin yn bendant arno. *(Fel arfer bydd ychydig o'r hylif ffrwythau dros ben.)*
6. Ychwanegu'r sinamon i'r cymysgedd.
7. Gweinir y ffŵl eirin mewn gwydrau gwin wedi eu gosod ar soseri gyda doili arnynt. Fe fyddaf yn rhoi llond llwy de o'r hylif ffrwythau dros y ffŵl eirin a gweithio patrwm tebyg i we pry copyn arno gan ddefnyddio pren coctel i wneud y gwaith. Mae bisgeden denau gyda'r ffŵl yn ychwanegiad hyfryd.

Mae'n bosibl gwneud sawl ffŵl ffrwythau yn yr un modd. Dyma ychydig o enghreifftiau llwyddiannus.

a) Eirin Mair a blodau'r ysgaw. Dylid rhoi sprigyn o flodau'r ysgaw ffres i stiwio gyda'r eirin Mair ac mae'r blas yn hyfryd.

b) Mafon gyda *Drambuie*—ychwanegu ychydig o'r gwirod i'r cymysgedd hufennog.

c) Cwrens coch a *Cointreau*. Byddaf yn defnyddio cwrens coch wedi eu rhewi. Does dim angen ychwanegu dŵr atynt wrth eu coginio gan fod y rhew yn creu digon o hylif.

ch) Riwbob a sinsir—ychwanegu'r sinsir sych yn yr un modd â'r sinamon.

NODER

Os ydych yn defnyddio ffrwythau gyda hadau mân ynddynt e.e. mafon mae'n well hidlo'r hylif ffrwythau ar ôl iddo fod yn y prosesydd bwyd er mwyn cael gwared ohonynt.

GEIRFA

Ffŵl ffrwythau—*fruit fool* Eirin—*plums* Sinamon—*cinnamon* Cerrig—*stones*
Prosesydd bwyd—*food processor* Hylifydd—*liquidizer* Pwlp—*pulp* Hylif ffrwythau—*fruit purée*
Gwe pry copyn—*spider's web* Eirin Mair—*gooseberries* Blodau'r ysgaw—*elderflowers*
Mafon—*raspberries* Cwrens coch—*redcurrants* Riwbob—*rhubarb* Sinsir—*ginger* Gwirod—*liqueur*

29. Afalau Sbeislyd gyda Silabyb Seidr

DYMA rysáit sydd wedi ei datblygu dros amser a bellach rwyf wedi darganfod tair ffordd o ddefnyddio'r cymysgedd gwreiddiol.

Cynhwysion y prif gymysgedd

1 pwys/400 gram o afalau coginio (Byddaf yn defnyddio Bramley os ydynt ar gael.)
2 owns/50 gram rhesin neu swltanas
½ llond llwy de o sbeis cymysg
Digon o siwgr demerara i felysu'r saig (oddeutu 3 owns/75 gram—bydd yn rhaid i chi brofi'r cymysgedd)

Cynhwysion y Silabyb

5 owns hylif/150 ml hufen dwbl
1 llond llwy de o siwgr mân
½ llwy de o groen lemwn wedi ei ratio'n fân
4 llond llwy fwrdd o seidr melys (gellir defnyddio gwin gwyn hefyd)

DULL

1. Tynnu croen yr afalau, eu torri'n haenau tenau a'u stiwio mewn ychydig o ddŵr nes y byddant wedi meddalu.
2. Pan fydd y cymysgedd yn dal yn boeth, ychwanegu digon o siwgr i felysu'r afalau'n ddigonol. *(Bydd yn rhaid i chi brofi'r afalau gan eu bod yn gwahaniaethu o ran surni.)*
3. Ychwanegu'r ffrwythau sych a'r sbeis.

1. I wneud y silabyb, rhaid chwipio'r hufen hyd nes y bydd mor dew ag y gall fod heb droi yn fenyn.
2. Ychwanegu'r siwgr, y croen lemwn a'r seidr a'u cymysgu'n ysgafn. Fe fydd yr hufen wedi meddalu ychydig ond ni fydd yn rhy redegog.

Defnydd i'r cymysgedd sylfaenol

1. Rhoi afalau sbeislyd oer mewn gwydrau gwin. Dodi llwyaid go dda o'r

silabyb ar ben y cymysgedd a thorri stribedi tenau o groen lemwn i'w addurno. Gweinir y gwydr gwin ar soser gyda doili arni a bisgeden blaen wrth ei ochr.

2. Gwneud crempogau gan ddefnyddio'r rysáit sylfaenol a'u cadw'n gynnes. Defnyddio afalau sbeislyd poeth fel llenwad i'r crempogau gan blygu'r grempog yn ei hanner dros y llenwad.
   Eu gweini gyda'r silabyb trostynt. Mae hwn yn meddalu ar y grempog boeth.
3. Gwneud 8 owns/200 gram crwst blawd cyflawn sylfaenol a gwneud tarten ar blât dwfn gan ddefnyddio'r afalau sbeislyd fel llenwad. Ei choginio am oddeutu ½ awr *(nwy 5/190°C)*. Gweinir y darten yn boeth neu yn oer gyda'r silabyb.

GEIRFA

Afalau sbeislyd—*spicy apples* Silabyb seidr—*cider syllabub* Afalau coginio—*cooking apples*
Rhesin—*raisins* Swltanas—*sultanas* Sbeis cymysg—*mixed spice* Siwgr demerara—*demerara sugar*
Siwgr mân—*caster sugar* Seidr melys—*sweet cider* Ffrwythau sych—*dried fruit*

30. Gellyg mewn Gwin Coch

digon i 4-5

GELLIR defnyddio gwin gwyn i wneud y rysáit yma ond mae'r lliw coch yn gwneud y saig yn fwy deniadol.

CYNHWYSION

4 neu 5 gellygen (Dewisiwch rai a siâp da iddynt a gwnewch yn sicr nad ydynt yn rhy feddal.)
1 peint/600 ml gwin coch
darn o groen lemwn (oddeutu 2 fodfedd/6 cm)
sudd hanner lemwn
6 owns/150 gram siwgr mân
½ llond llwy de sinamon

DULL

1. Tynnu'r croen oddi ar y gellyg a thorri darn bach oddi ar waelod pob gellygen fel eu bod yn sefyll yn gadarn. Rwyf yn hoffi gadael y coesyn ar yr ellygen hefyd. Gellir torri'r ffrwyth yn ei hanner a'i weini'n fflat, ond nid ydyw yn edrych mor ddeniadol.
2. Rhoi'r gellyg i sefyll mewn sosban.
3. Cymysgu'r gwin coch, sudd a chroen y lemwn, y siwgr a'r sinamon gyda'i gilydd a'u tywallt dros y gellyg. Os nad yw'r gellyg wedi eu gorchuddio, mae'n rhaid eu troi wysg eu hochr i goginio neu fe fyddant yn troi'n frown.
4. Berwi'r gellyg yn yr hylif am 10-15 munud gan eu troi drosodd yn ystod yr amser yma. Dylai'r gellyg fod yn feddal.
5. Tynnu'r gellyg o'r hylif a'u rhoi o'r neilltu i oeri.
6. Berwi'r hylif yn dda nes y bydd wedi'i haneru ac yn debyg i syrup tenau. Gadael iddo oeri.
7. Rhoi'r gellyg i sefyll ar blatiau unigol ac arllwys y syrup coch drostynt. Gweinir gyda hufen blas oren. *(Rysáit rhif 90.)*

GEIRFA

Gellyg—*pears* Gwin coch—*red wine* Croen lemwn—*lemon rind* Sudd lemwn—*lemon juice* Siwgr mân—*caster sugar* Sinamon—*cinnamon* Coesyn—*stem* Gorchuddio—*cover* Hylif—*liquid* Syrup—*syrup* Arllwys—*pour*

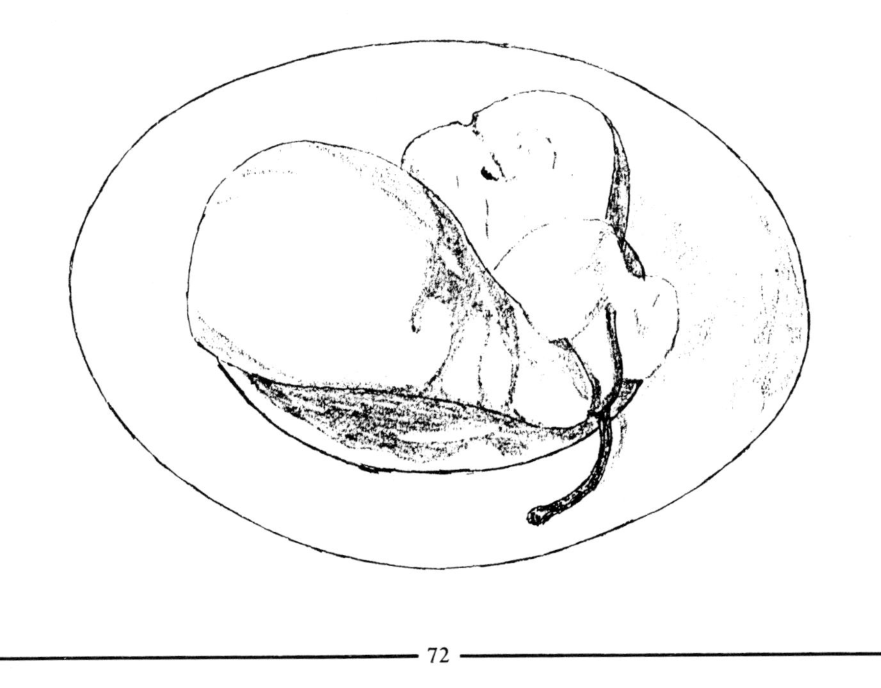

31. Crempog Cân-y-Delyn

digon i 4

DEFNYDDIWCH ½ peint o'r rysáit sylfaenol ar gyfer crempog (rysáit rhif 4) ond ni fydd arnoch angen mwy nag wyth crempog ar gyfer y saig yma (2 i bob person). Gellir rhewi'r gweddill i'w defnyddio yn y dyfodol.

Cynhwysion y Saws

2 owns/50 gram menyn
2 owns/50 gram siwgr demerara
2 lwy fwrdd o'r gwirod Cân-y-Delyn
sudd 2 oren
croen 1 oren wedi ei ratio'n fân
sudd ½ lemwn

1. Rhoi cynhwysion y saws i gyd mewn padell ffrio ddofn a'u cynhesu'n araf dros wres isel fel bod y menyn a'r siwgr yn meddalu'n gyfan gwbl.
2. Plygu'r crempogau yn bedwar *(yn debyg i siâp triongl)* a'u rhoi yn y saws i gynhesu. Byddaf yn troi'r crempogau trosodd unwaith yn y saws er mwyn iddynt gael eu gwlychu'n iawn.
3. Gweinir dwy grempog i bob person ar blât bach—un crempog yn darnguddio'r llall—gydag ychydig o'r saws o'u hamgylch. Byddaf yn rhoi dau ddarn o oren ffres ar ochr y plât i'w addurno. Nid oes angen hufen gyda'r saig yma gan fod y saws ei hun yn ddigon cyfoethog.

GEIRFA

Siwgr demerara—*demerara sugar* Cân-y-Delyn—*a Welsh liqueur*
Padell ffrio ddofn—*deep frying pan* Darnguddio—*overlap* Sudd—*juice* Croen—*rind* Gwirod—*liqueur*

AWGRYM

Gellir paratoi'r saws yn y microdon ond byddwch yn ofalus nad yw'r siwgr yn caledu o amgylch ymyl y bowlen. Rwyf wedi rhewi'r crempogau wedi eu gorchuddio gyda'r saws. Maent yn blasu'n dda ond nid yw ansawdd y saws yn union yr un fath.

32. Cacen Mafon Meinir

digon i 6-8

MAE'R gacen yma braidd yn ddrud i'w gwneud ond mae'n addas ar gyfer achlysur arbennig.

CYNHWYSION

4 owns/100 gram crwst brau sylfaenol (rysáit rhif 1)
½ peint/300 ml cwstard oer gweddol dew (wedi ei felysu)
3 llond llwy fwrdd o hufen ffres
2 lond llwy fwrdd o Drambuie
12 owns/300 gram mafon ffres neu rai wedi eu rhewi
digon o siwgr i felysu'r mafon
2 owns/50 gram siocled plaen
2 owns/50 gram siocled gwyn
Cnau Ffrengig wedi eu torri'n fân

DULL

1. Rholio'r crwst brau yn denau a gwneud cas fflan fel yn rysáit rhif 34. Ei goginio'n dda a'i oeri.
2. Cymysgu'r cwstard oer (wedi ei felysu'n barod) gyda'r hufen (i'w wneud yn fwy cyfoethog) a'r *Drambuie* (gellir ychwanegu mwy o *Drambuie* os dymunir).
3. Taenu'r cwstard dros waelod y cas fflan.
4. Cymysgu'r mafon gyda digon o siwgr i'w melysu a'u rhoi ar ben y cwstard.
5. Meddalu'r ddau fath o siocled ar wahân, naill ai yn y microdon am ychydig eiliadau neu dros sosbanaid o ddŵr poeth. Cymysgu'r siocled gyda llwy de i wneud yn siŵr ei fod yn hollol lyfn.
6. Gan ddefnyddio llwy de, tywallt y siocled plaen yn gyntaf dros wyneb y gacen ac yna yn yr un modd tywallt y siocled gwyn fel bod y ddau fath o siocled yn gwau drwy'i gilydd gan adael rhannau heb eu gorchuddio er mwyn gweld y mafon. Nid ydych eisiau haen dew o siocled—dim ond darnau tenau fel edau yn creu patrwm ar wyneb y gacen.
7. Gellir taenellu cnau Ffrengig wedi eu torri'n fân dros wyneb y gacen

cyn i'r siocled galedu.

8. Nid oes angen ychwanegu dim wrth weini'r gacen gan ei bod yn weddol gyfoethog.

GEIRFA

Mafon—*raspberries* Crwst brau sylfaenol—*basic shortcrust pastry* Cwstard—*custard* Hufen ffres—*fresh cream* Siocled plaen—*plain chocolate* Siocled gwyn—*white chocolate* Cnau Ffrengig—*walnuts* Cyfoethog—*rich* Taenu—*to spread* Microdon—*microwave* Gwau—*mingle* Gorchuddio—*cover* Haen—*layer* Edau—*thread* Taenellu—*sprinkle*

33. Cacen Goffi a Tia Maria

digon i 8+

DYMA rysáit cacen a ddaeth yn wreiddiol o Awstria ond rwyf wedi ei addasu ychydig i'w wneud yn haws i'w baratoi.

CYNHWYSION

6 owns/150 gram cymysgedd sylfaenol ar gyfer sbwng Fictoria (rysáit rhif 3) (Os yw amser yn brin, gellir prynu cacen Madeira wedi ei gwneud yn barod.)
3 llond llwy fwrdd o *Tia Maria*
½ peint/300 ml dŵr oer
4 owns/100 gram siwgr mân
3 llond llwy fwrdd o goffi gronynnog
½ peint/300 ml hufen dwbl a siwgr mân i'w felysu
ffrwythau ffres a siocled i addurno

DULL

1. Paratoi cymysgedd sbwng fel yn rysáit rhif 3.
2. Rhoi'r cymysgedd mewn tun bara 2 bwys *(ei ochrau wedi eu gorchuddio â phapur gwrth-saim)*. Coginio'r gacen *(nwy 4/170°C)* am oddeutu 45 munud—mae hyn yn cymryd tipyn o amser gan fod y tun yn ddwfn. Os yw wyneb y gacen yn mynd yn rhy frown cyn i'r canol orffen coginio, dodwch orchudd o bapur gwrth-saim arno.
   I wneud yn sicr bod y gacen yn barod, pwyswch eich bys yn ysgafn ar yr wyneb—os yw'r ôl yn codi, yna mae'r gacen yn barod. Gellir hefyd roi gwaell drwy'r gacen—os yw honno'n dod allan yn lân, yna mae'r gacen yn barod.
3. Troi'r gacen allan ar blât neu dun fflat a gadael iddi oeri.
4. Rhoi'r dŵr a'r siwgr mân mewn sosban a'u berwi i wneud syrup siwgr—fe ddylai'r sigwr feddalu'n gyfan gwbl. Tynnu'r syrup oddi ar y gwres ac ychwanegu'r coffi gronynnog *(mae chwisg yn gwneud i'r coffi doddi'n gynt)*. Gadael i'r syrup blas coffi oeri.
5. Ychwanegu'r *Tia Maria* i'r syrup.
6. Tywallt y syrup dros y gacen oer. Fe fydd cylch o syrup o amgylch y

gacen.

7. Gadael i'r gacen sefyll am o leiaf 4 awr, neu'n well byth yn yr oergell dros nos. Erbyn hynny bydd y gacen wedi amsugno'r syrup ac fe fydd yn weddol wlyb ac wedi newid ei lliw drwyddi.
8. Chwipio'r hufen dwbl a gorchuddio ochrau a wyneb y gacen ag ef.
9. Gratio siocled plaen a gorchuddio ochrau'r gacen. Bydd y siocled yn glynu wrth yr hufen.
10. Rhoi segmentau o oren ffres mewn dwy linell ar wyneb y gacen a grawnwin gwyrdd wedi eu torri yn eu hanner rhyngddynt.
11. Mae hon yn gacen gyfoethog, felly does dim ond eisiau tafell denau ar bawb. Gellir ei gweini gyda mwy o hufen os dymunir.

GEIRFA

Cacen goffi—*coffee cake or gâteau* Siwgr mân—*caster sugar* Coffi gronynnog—*coffee granules*
Hufen dwbl—*double cream* Papur gwrth-saim—*greaseproof paper* Gwaell—*skewer*
Syrup siwgr—*sugar syrup* Amsugno—*absorb* Segmentau—*segments*
Grawnwin gwyrdd—*green grapes* Cacen gyfoethog—*rich cake* Tafell denau—*thin slice*

AWGRYM

Gellir rhewi'r gacen ar ôl iddi amsugno'r syrup (cyn ei haddurno â hufen) ac yna ei dadmer a'i haddurno pan fo angen.

34. Tarten Gellyg a Chyffug

digon i 6-8

CYNHWYSION

4 owns/100 gram crwst brau sylfaenol (rysáit rhif 1)
5 owns hylif/150 ml hufen dwbl
2 lond llwy de o siwgr mân
½ llond llwy de o groen lemwn wedi ei ratio'n fân
2 lond llwy fwrdd o win gwyn melys
1 llond llwy fwrdd o Cointreau
1 tun maint canolig gellyg
2 owns/50 gram cyffug Cymreig
1 owns/25 gram menyn
ychydig o gnau Ffrengig i addurno

DULL

1. Gwneud cas fflan o'r crwst brau:
   a) Rhoi cylch fflan 7 modfedd ar dun coginio a'i iro.
   b) Rholio'r toes yn weddol denau—tipyn mwy na maint y cylch fflan.
   c) Codi'r crwst o amgylch y rholbren a'i osod yn ofalus dros y cylch fflan. Gyda'r dwylo, codi'r toes fel ei fod yn disgyn i mewn i'r cylch fflan ac yna ei weithio o amgylch y cylch yn daclus.
   ch) Rholio'r rholbren yn galed dros ymylon y cylch fflan ac fe ddaw unrhyw does dros ben yn rhydd yn ddidrafferth.
   d) Pricio gwaelod y cas fflan â fforc a rhoi darn o bapur gwrth-saim a phys sych ar y gwaelod i rwystro'r crwst rhag codi pan yw'n coginio.
   dd) Coginio'r cas am oddeutu 15 munud *(nwy 5/190°C)*, yna tynnu'r pys a'r papur a choginio'r crwst am bum munud yn rhagor er mwyn sychu gwaelod y crwst.
   e) Gadael i'r cas crwst oeri'n gyfan gwbl a'i dynnu o'r tun.
2. Chwipio'r hufen nes ei fod yn dew iawn.
3. Ychwanegu'r siwgr mân, croen lemwn wedi ei ratio, y gwin gwyn a'r

Cointreau. Os dymunir, fe ellir ychwanegu mwy o'r *Cointreau* os hoffech gael blas cryfach.

4. Cadw 1 llond llwy fwrdd o'r cymysgedd hufen o'r neilltu a dodi'r gweddill ar waelod y cas fflan.
5. Rhoi'r gellyg o'r tun mewn hidlen er mwyn cael gwared o'r hylif. Yna trefnu'r gellyg yn ddestlus ar ben y cymysgedd hufen.
6. Dodi'r cyffug gyda'r menyn mewn powlen fach addas a'i roi yn y microdon am ychydig eiliadau nes i'r cyffug feddalu'n llwyr. Cymysgu'r cyffug yn dda gyda llwy gan wneud yn siŵr ei fod yn hollol lyfn. Ychwanegu'r cymysgedd hufen oedd dros ben—fe fydd y cymysgedd cyffug yn weddol redegog. Ei dywallt dros y gellyg.
7. Torri cnau Ffrengig yn fân a'u gwasgaru dros wyneb y fflan i'w addurno.

GEIRFA

Siwgr mân—*caster sugar* Croen lemwn—*lemon peel* Gellyg—*pears* Maint canolig—*medium size*
Cyffug Cymreig—*Welsh fudge* Cnau Ffrengig—*walnuts* Cylch fflan—*flan ring*
Rholbren—*rolling pin* Toes—*dough* Iro—*grease* Papur gwrth-saim—*greaseproof paper*
Pys sych—*dried peas* Cas crwst—*pastry case* Gwin gwyn—*white wine* Llyfn—*smooth*

35. Pinafal Malibw gyda Saws Siocled

digon i 8

CYNHWYSION

1 pinafal ffres gweddol fawr
ychydig o siwgr mân i felysu

Saws Siocled

8 owns/200 gram siocled plaen (mae'n werth prynu un da)
4 llond llwy fwrdd o driog melyn
½ owns/13 gram menyn
8 llond llwy fwrdd o hufen ffres (allan o'r ½ peint/300 ml)
½ llond llwy de o rin fanila
½ peint/300 ml o hufen ffres dwbl
ychydig o siwgr mân i felysu
2 lond llwy fwrdd o'r gwirod Malibu
coconyt mân wedi ei grasu
2 geiriosen glacé

DULL

1. Torri'r croen oddi ar y pinafal a'i dorri yn 8 cylch. Torri'r canol caled allan gyda chyllell fach finiog.
2. Dodi'r pinafal gydag ychydig o siwgr mân mewn powlen, er mwyn ei felysu. *(Teimlaf fod blas braidd yn chwerw arno os na wneir hyn.)*
3. Gwneud y saws siocled:
   a) Dodi'r siocled a'r triog melyn mewn sosban drom dros wres isel nes y byddant wedi meddalu.
   b) Tynnu'r sosban oddi ar y gwres ac ychwanegu'r menyn, 8 llond llwy fwrdd o hufen a'r rhin fanila a'u cymysgu'n dda i gael saws llyfn.
   c) Gadael i'r saws oeri. Mae hwn yn saws defnyddiol dros ben ac fe ellir ychwanegu sawl blas ychwanegol ato e.e. croen oren wedi ei ratio, cnau wedi eu torri'n fân, coffi cryf neu rwm. Gellir defnyddio'r saws yn boeth hefyd.

4. Chwipio gweddill yr hufen dwbl nes y bydd wedi tewychu. Ychwanegu ychydig o siwgr mân i'w felysu a'r gwirod *Malibu. (Gellir ychwanegu mwy o hwn os am flas cryfach.)*
5. Crasu'r coconyt mân ar dun coginio mewn popty cymharol boeth. Rhaid cadw llygad gofalus arno a'i droi'n gyson gyda llwy. Peidiwch â gadael iddo fynd yn rhy frown neu bydd blas llosgi yn mynd arno. Gadael iddo oeri.
6. Rhoi ychydig o saws siocled ar blât bach.
7. Dodi cylch pinafal ar ben y saws.
8. Peipio'r hufen dros dwll canolog y pinafal *(gellir defnyddio llwy os nad ydych yn gallu peipio'n dda).*
9. Taenellu coconyt mân wedi ei grasu dros yr hufen.
10. Rhoi ¼ ceiriosen *glacé* ar ben yr hufen.
11. Dyma bwdin sy'n edrych yn hynod o ddeniadol. Mae yn hawdd i'w baratoi a gellir amrywio ei flas.

NODER

Gellir defnyddio hufen iâ rwm a rhesin ar y pinafal yn hytrach na hufen.

GEIRFA

Pinafal—*pineapple* Siocled plaen—*plain chocolate* Triog melyn—*golden syrup*
Hufen ffres—*fresh cream* Rhin fanila—*vanilla essence* Siwgr mân—*caster sugar*
Gwirod—*liqueur* Crasu—*toast* Ceirios glacé—*glacé cherries* Cylch—*circle*
Melysu—*sweeten* Chwerw—*bitter* Saws siocled—*chocolate sauce* Sosban drom—*heavy saucepan*
Croen oren—*orange rind* Cnau—*nuts* Coffi cryf—*strong coffee* Chwipio—*whip*
Tewychu—*thicken* Coconyt mân—*desiccated coconut* Llosgi—*burn* Peipio—*pipe*
Taenellu—*sprinkle* Hufen iâ—*ice cream* Rwm—*rum* Rhesin—*raisins* Yn hytrach na—*instead of*

36. Tatws Pencarreg

digon i 5-6

RYSÁIT wedi ei ddatblygu dros amser yw hwn. Fe ellir defnyddio unrhyw gaws ar ben y tatws ond os oes caws Pencarreg ar gael, mae'n werth ei ddefnyddio. Caws meddal, llawn braster debyg i *Brie* yw Pencarreg ac mae'n cael ei wneud o lefrith gwartheg yn Llanbedr Pont Steffan, Dyfed.

CYNHWYSION

2 bwys o datws
1 nionyn mawr
2 ddarn o arlleg
oddeutu ½ peint/300 ml llefrith
Pupur a halen
6 owns/150 gram caws Pencarreg (tua 4 owns/100 gram ar ôl torri'r croen allanol)

DULL

1. Plicio'r tatws, eu golchi a'u torri'n haenau tenau.
2. Tynnu croen y nionyn a'i dorri'n fân.
3. Tynnu croen y garlleg a'i wasgu drwy declyn pwrpasol neu ei dorri'n hynod o fân.
4. Dodi'r haenau tatws mewn dysgl y gellir ei rhoi yn y ffwrn. Byddaf yn rhoi'r haenau tatws i sefyll i fyny yn y ddysgl yn hytrach na'u rhoi ar ben ei gilydd. Maent yn coginio'n well fel hyn ac yn edrych yn fwy blasus.
5. Rhoi'r darnau nionyn a'r garlleg dros y tatws gydag oddeutu ½ llond llwy de o halen ac ychydig o bupur du.
6. Arllwys y llefrith dros y cymysgedd tatws a gorchuddio'r ddysgl â phapur gloyw.
7. Ei goginio ar nwy 5/190°C am hanner awr.
8. Tynnu'r gorchudd a gadael i'r saig goginio hebddo nes i'r tatws feddalu—mae hyn yn cymryd oddeutu ugain munud arall. Os yw'r llefrith yn sychu'n ormodol cyn i'r tatws orffen coginio, gellir ychwanegu ychydig yn rhagor.
9. Torri'r caws Pencarreg yn ddarnau ar ôl tynnu'r croen allanol, a'u gosod ar wyneb y tatws. Gorchuddio'r ddysgl eto gyda ffoil a'i rhoi'n

ôl yn y ffwrn am 5 munud.

10. Fe ddylai'r caws feddalu dros y tatws yn ystod yr amser hwn. Mae bron fel saws hufennog o amgylch y tatws ac mae'r blas yn hyfryd.
11. Gweinir y tatws o'r ddysgl, gydag unrhyw gig neu bysgod.
12. Byddaf i yn ei hoffi gyda golwython cig oen Cymreig a stribedi o lysiau cymysg *(rysáit rhif 40)*.

GEIRFA

Caws Pencarreg—*Pencarreg cheese* Tatws—*potatoes* Nionyn—*onion* Garlleg—*garlic* Llefrith—*milk* Plicio—*peel* Haenau tatws—*potato slices* Pupur du—*black pepper* Arllwys—*to pour* Papur gloyw—*kitchen foil* Cig—*meat* Pysgod—*fish* Golwython—*chops* Cig oen—*lamb* Stribedi o lysiau cymysg—*medley of julienne vegetables* Braster—*fat*

37. Tatws Duchesse

MAE'R tatws yma yn ddefnyddiol iawn oherwydd gellir eu paratoi ymlaen llaw a'u rhoi yn yr oergell nes bydd eu hangen.

CYNHWYSION

2 bwys o datws
1 owns/25 gram menyn
1 llond llwy de o halen
ychydig o bupur gwyn
pinsiad o nytmeg
3 wy maint 3
menyn wedi ei doddi

DULL

1. Plicio a thorri'r tatws yn chwarteri.
2. Eu berwi mewn dŵr wedi ei halltu nes y byddant wedi meddalu. Eu hidlo'n dda a'u hysgwyd yn y sosban dros wres i'w sychu.
3. Stwnsio'r tatws yn dda gyda'r menyn, yr halen, y pupur a'r nytmeg. Mae teclyn o'r enw reisiwr yn wych am gael gwared o lympiau mewn tatws wedi'u stwnsio.
4. Ychwanegu'r wyau a'u curo i mewn i'r tatws i wneud cymysgedd llyfn.
5. Peipio tyrrau o'r tatws ar dun coginio wedi ei iro neu bentyrru'r tatws gyda llwy.
6. Brwsio wyneb y tatws gyda menyn wedi ei doddi. Gellir eu rhoi yn yr oergell os nad oes eu hangen yn syth.
7. Eu rhoi mewn popty poeth *(nwy 6/200°C)* am oddeutu 10 munud nes y byddant wedi troi'n frown.
8. Gellir gwneud siâp nythod gyda'r cymysgedd a'u llenwi gyda llysiau eraill. Byddaf yn hoffi peipio neu bentyrru'r tatws o amgylch plât hirgrwn a llenwi'r canol gyda moron, pys Ffrengig neu flodfresych gyda saws caws.

GEIRFA

Tatws—*potatoes* Defnyddiol—*useful* Oergell—*refrigerator* Pupur gwyn—*white pepper*
Pinsiad—*a pinch* Nytmeg—*nutmeg* Wy—*egg* Toddi—*melt* Plicio—*peel* Berwi—*boil*
Halltu—*salt* Teclyn—*gadget* Reisiwr—*ricer* Curo—*beat* Cymysgedd llyfn—*smooth mixture*
Tyrrau—*towers* Pentyrru—*pile* Nythod—*nests* Llysiau—*vegetables* O amgylch—*around*
Plât hirgrwn—*oval plate* Moron—*carrots* Pys Ffrengig—*French style peas* Blodfresych—*cauliflower*
Saws caws—*cheese sauce* Hidlo—*strain* Stwnsio—*mash.*

38. Ffa Ffrengig gyda Chig Moch

CYNHWYSION

1 pwys/400 gram ffa Ffrengig ffres neu rai wedi eu rhewi
6 owns/150 gram cig moch heb lawer o fraster
1 nionyn canolig
1 owns/25 gram menyn
ychydig o halen a phupur du

DULL

1. Torri'r ffa neu eu cadw'n gyfan a'u coginio mewn dŵr berwedig gyda halen ynddo nes y byddant wedi dechrau meddalu. Yna, eu hidlo.
2. Eu golchi mewn dŵr oer *(mae hyn yn eu harbed rhag mynd yn llipa)*.
3. Torri'r cig moch yn ddarnau bach a thynnu croen a thorri'r nionyn yn fân.
4. Ffrio'r nionyn yn y menyn ar wres isel nes ei fod wedi meddalu ond heb newid ei liw.
5. Ychwanegu'r cig moch, troi'r gwres i fyny a chario 'mlaen i'w coginio nes bod y cig moch wedi crimpio a'r nionyn wedi troi'n frown golau.
6. Dodi'r ffa Ffrengig yn y badell ac ysgwyd y cyfan dros y gwres nes i'r ffa dwymo. Ychwanegu ychydig o bupur du o'r felin bupur a'u gweini.
7. Maent yn mynd yn dda gyda chigoedd wedi eu gridyllu.

GEIRFA

Ffa Ffrengig—*French beans* Cig moch—*bacon* Braster—*fat*
Nionyn canolig—*medium sized onion* Berwedig—*boiling* Meddalu—*soften*
Hidlo—*strain* Llipa—*limp* Crimpio—*crispen* Padell—*pan* Ysgwyd—*shake*
Melin bupur—*pepper mill* Cigoedd wedi eu gridyllu—*grilled meats*

39. Ysgewyll Brwsel gyda Briwsion wedi eu crasu

CYNHWYSION

1½ pwys o ysgewyll Brwsel bach
halen a phupur du
1 owns/25 gram menyn
1 tafell o fara i wneud croûtons ohono (rysáit rhif 11)

DULL

1. Tynnu unrhyw ddail rhydd oddi wrth yr ysgewyll Brwsel.
2. Torri siâp croes ar waelod pob coesyn er mwyn iddynt goginio'n well.
3. Eu rhoi mewn sosbanaid o ddŵr berwedig hallt a'u coginio nes iddynt feddalu ychydig *(peidiwch â'u coginio am fwy nag 8 munud ar ôl i'r dŵr ailferwi)*.
4. Eu hidlo'n dda ac yna eu rhoi yn ôl yn y sosban gyda'r menyn a'u coginio am ryw 2 funud. Eu gweini mewn dysgl addas.
5. Taenellu'r *croûtons* wedi eu briwsioni dros yr ysgewyll Brwsel fel bod y saig yn edrych yn fwy diddorol. Gellir hefyd gymysgu melynwy wedi ei dorri'n fân gyda'r briwsion wedi eu crasu er mwyn ychwanegu lliw i'r llysiau.

GEIRFA

Ysgewyll Brwsel—*Brussel sprouts* Tafell o fara—*slice of bread* Coesyn—*stem*
Dŵr berwedig—*boiling water* Hidlo—*strain* Dysgl addas—*suitable dish* Taenellu—*sprinkle*
Diddordeb—*interest* Melynwy—*egg yolk*

40. Stribedi o Lysiau Cymysg

digon i 6

MAE'R dull hwn o baratoi llysiau yn gwneud i bryd edrych yn fwy diddorol. Maent yn edrych yn lliwgar ac yn flasus ar y plât er eu bod yn hynod o hawdd i'w paratoi.

CYNHWYSION

8 owns/200 gram moron
4 owns/100 gram rwden
4 owns/100 gram pannas
4 owns/100 gram courgettes
½ llond llwy de o halen

DULL

1. Plicio'r llysiau heblaw am y *courgettes*—mae angen y lliw gwyrdd hyfryd sydd ar eu croen hwy.
2. Torri'r llysiau i gyd yn stribedi tenau—fe ddylent edrych yn debyg i fatsys.
3. Berwi'r llysiau mewn dŵr a halen am oddeutu 5 munud yn unig.
4. Os dymunir, gellir rhoi telpyn bach o fenyn ar y llysiau cyn eu gweini. Gwell gennyf i eu rhoi yn barod ar y plât gyda'r cig yn hytrach na'u rhoi mewn dysgl ar y bwrdd. Mae'r lliwiau yn edrych yn fwy effeithiol ar blât.

GEIRFA

Stribedi o lysiau cymysg—*medley of julienne vegetables* Moron—*carrots* Rwden—*swede* Pannas—*parsnips* Matsys—*matches*

41. Bwydlys Cymysg

MAE dwy ffordd o weini'r math yma o fwydlys, naill ai cymysgu'r cynhwysion gyda'i gilydd mewn powlen neu eu gosod yn batrymau ar blât hirgrwn. Os ydych yn dewis yr ail ffordd mae'n bwysig naill ai gosod y cynhwysion mewn cylchoedd taclus neu mewn llinellau syth—peidiwch â cheisio gwneud patrymau cymhleth neu fe gollwch yr effaith.

Gwell gennyf roi blaslyn Ffrengig (rysáit rhif 47) mewn jwg saws i bobl ei ychwanegu os ydynt ei eisiau, yn hytrach na'i gymysgu i mewn i'r bwydlys.

Dyma enghreifftiau o gynhwysion y gellir eu rhoi mewn bwydlys cymysg. Wrth reswm, does dim rhaid eu defnyddio i gyd.

pob math o letys
tomatos wedi eu torri'n haenau neu yn chwarteri neu ar siâp lili ddŵr
cucumer—mewn haenau neu ddarnau bach sgwar
pupur coch, gwyrdd a melyn wedi eu torri mewn stribedi, cylchoedd mawr neu eu torri'n ddarnau mân (mae cymysgedd o'r tri lliw yn ddeniadol iawn)
sibols—yn gyfan neu wedi eu torri'n fân
berwr dŵr
berwr—mae hwn yn edrych yn dda wedi ei daenellu dros wyneb y salad
radys—wedi eu torri'n haenau tenau neu gellir gwneud rhosynnau radys
betys—fe ellir ei roi mewn salad, ond gall golli ei liw dros y cynhwysion eraill (gwell gennyf fi ei roi mewn powlen fach ar wahân)
helogan—wedi ei thorri'n fan
moron—wedi eu gratio
courgettes—wedi eu gratio
ffrwythau e.e. darnau o binafal, segmentau oren neu rawnffrwyth, afal wedi ei ratio (cofiwch roi sudd lemwn dros yr afal rhag iddo droi'n frown)
cnau—wedi eu torri'n fras (mae'r rhain yn ychwanegiad ddiddorol i'r salad)
caws—wedi ei ratio
wyau—wedi eu torri'n haenau neu'n chwarteri

Mae angen y math hwn o fwydlys ar fwrdd bwffe ar gyfer y bobl hynny sydd braidd yn geidwadol o ran yr hyn y maent yn ei fwyta.

GEIRFA

Bwydlys cymysg—*mixed salad* Patrymau—*patterns* Plât hirgrwn—*oval plate*
Cylchoedd—*circles* Llinellau syth—*straight lines* Cymhleth—*complicated*
Blaslyn Ffrengig—*French dressing* Letys—*lettuce* Cucumer—*cucumber*
Pupur—*pepper* Sibols—*spring onions* Berwr dŵr—*watercress* Berwr—*cress* Radys—*radish*
Betys—*beetroot* Helogan—*celery* Moron—*carrots* Ffrwythau—*fruit* Pinafal—*pineapple*
Segmentau—*segments* Oren—*orange* Grawnffrwyth—*grapefruit* Cnau—*nuts* Caws—*cheese*
Wyau—*eggs* Bwrdd bwffe—*buffet* Ceidwadol—*conservative*

42. Bwydlys Gwyrdd

YN DRADDODIADOL, cymysgedd o ddail gwyrdd yw'r bwydlys hwn ond gellir ychwanegu llysiau gwyrdd eraill a pherlysiau ffres ato er mwyn ei wneud yn fwy diddorol.

CYNHWYSION

cymysgedd o ddail salad e.e. gwahanol fathau o letys, bresych gwyn, berwr dŵr, ysgall y meirch
perlysiau ffres os ydynt ar gael—teim, persli, cennin syfi, mintys
cynhwysion addas eraill—pupur gwyrdd, sibols, cucumer, courgettes wedi eu gratio, berwr
1 darn o arlleg
blaslyn Ffrengig fel yn rysáit rhif 47

DULL

1. Mae'n rhaid golchi a sychu'r dail yn ofalus. Gellir defnyddio basged addas neu declyn sy'n troi'r dail yn arbennig i sychu dail salad.
2. Torri'r cynhwysion eraill a'u cymysgu gyda'r dail salad mewn powlen fawr.
3. Rhwbio'r darn o arlleg wedi ei dorri'n ei hanner o amgylch ochrau y ddysgl gweini'r bwydlys. Os ydych eisiau blas garlleg cryf, dylid ei wasgu a'i ychwanegu at y blaslyn bwydlys.
4. Paratoi'r blaslyn bwydlys ond peidio â'i ychwanegu i'r bwydlys gwyrdd tan y funud olaf neu fe fydd y dail yn mynd yn llipa.
5. Cymysgu'r blaslyn bwydlys gyda chynhwysion y bwydlys gwyrdd gan ddefnyddio dwy lwy i wneud yn sicr fod y bwydlys i gyd wedi ei orchuddio gyda'r hylif.
6. Rhoi'r bwydlys gwyrdd mewn dysgl gweini bwydlys a thaenellu perlysiau ffres wedi eu torri'n fân dros yr wyneb.
7. Mae'r bwydlys yma yn mynd yn arbennig o dda gyda bwydydd Eidalaidd.

GEIRFA

Bwydlys gwyrdd—*green salad* Traddodiadol—*traditional* Perlysiau—*herbs*
Dail bwydlys—*salad greens* Letys—*lettuce* Bresych gwyn—*white cabbage* Berwr dŵr—*watercress*
Ysgall y meirch—*chicory* Teim—*thyme* Persli—*parsley* Cennin syfi—*chives* Mintys—*mint*
Pupur gwyrdd—*green pepper* Sibols—*spring onion* Cucumer—*cucumber* Berwr—*cress*
Garlleg—*garlic* Blaslyn Ffrengig—*French dressing* Rhwbio—*rub* Llipa—*limp*
Gorchuddio—*cover* Hylif—*liquid* Taenellu—*sprinkle* Bwydydd Eidalaidd—*Italian foods*

43. Bwydlys Bresych
(Coleslaw)

DAETH yr enw *coleslaw* o'r Iseldireg—*Kool* yn golygu bresych a *sla* yn golygu bwydlys—felly does dim o'i le yn ei alw'n Bwydlys Bresych.

CYNHWYSION

bresychen wen galed
moronen
3 sibolsen
Oddeutu ¼ peint/150 ml blaslyn Ffrengig neu mayonnaise (efallai fod angen mwy na hyn o'r *mayonnaise*)
Pupur a halen

DULL

1. Torri'r fresychen yn bedwar a thorri'r canol caled allan ohoni. Yna torri'r darnau yn stribedi tenau gyda chyllell fawr finiog. Eu rhoi mewn powlen gymysgu.
2. Cymysgu'r bresych gyda'r blaslyn neu'r *mayonnaise* nes bod pob darn wedi ei orchuddio.
3. Ychwanegu'r foronen wedi ei gratio'n fras a'r sibols wedi eu torri'n fân.
4. Rhoi ychydig o halen a phupur du yn y cymysgedd.
5. Gorchuddio'r bowlen a gadael i'r bwydlys sefyll am 2-3 awr cyn ei weini—mae hyn yn bwysig er mwyn i'r bresych feddalu ac er mwyn i'r blas ddatblygu.
6. Gweinir y bwydlys wedi ei bentyrru ar blât hirgrwn gyda phersli wedi ei dorri'n fân dros yr wyneb.
7. Gellir ychwanegu cynhwysion eraill i'r cymysgedd pe dymunir e.e. afal wedi ei ratio, helogan wedi ei thorri'n fân, cnau wedi eu torri'n fras neu ddarnau o binafal ffres.

GEIRFA

Bwydlys bresych—*coleslaw* Bresychen—*cabbage* Moronen—*carrot* Sibolsen—*spring onion* Blaslyn Ffrengig—*French dressing* Pupur du—*black pepper* Stribedi—*strips or thin slices* Powlen gymysgu—*mixing bowl* Gorchuddio—*cover* Meddalu—*soften* Datblygu—*develop* Pentyrru—*pile* Plât hirgrwn—*oval plate* Afal—*apple* Helogan—*celery* Cnau—*nuts* Pinafal—*pineapple*

44. Bwydlys Tomato

digon i 4

CYNHWYSION

4 tomato
2 sibolsen/slots

blaslyn

2 lond llwy de o finegr
4 llond llwy de o olew llysiau
½ llond llwy de o oregano
ychydig o bupur a halen

DULL

1. Torri'r tomatos yn denau ar eu traws a'u gosod ar blât deniadol.
2. Torri'r sibols yn fân a'u gosod dros y tomatos.
3. Rhoi cynhwysion y blaslyn mewn potyn sydd a chaead iddo a'u hysgwyd yn dda gyda'i gilydd i wneud hylif cymylog *(emwlsiwn)* a'i dywallt dros y bwydlys.
4. Nid drwg o beth yw ei adael am ychydig cyn ei fwyta gan fod hyn yn rhoi amser i flas y gwahanol gynhwysion gymysgu gyda'i gilydd.
5. Gweinir gyda bwydydd pasta neu mewn pryd bwffe.

GEIRFA

Sibolsen—*spring onion* Olew llysiau—*vegetable oil* Bwydlys—*salad*
Blaslyn—*salad dressing* Emwlsiwn—*emulsion*

45. Bwydlys Tatws

digon i 4

CYNHWYSION

1 pwys/400 gram tatws—rhai newydd neu rai nad ydynt yn berwi'n ddyfrllyd
1 llond llwy fwrdd o finegr seidr
1 llond llwy fwrdd o olew llysiau
3 llond llwyd fwrdd o mayonnaise
3 sibolsen—wedi eu torri'n fân
1 llond llwy fwrdd o bersli ffres—wedi ei dorri'n fân
1 llond llwy de o fwstard Cymreig
½ llond llwy de o halen

DULL

1. Plicio a thorri'r tatws yn giwbiau gweddol fach. Eu rhoi mewn sosbanaid o ddŵr berwedig a'u berwi am oddeutu 5 munud—fel eu bod yn feddal.
2. Yn y cyfamser cymysgu'r sibols, y finegr seidr, yr olew llysiau, y *mayonnaise*, y persli, y mwstard a'r halen gyda'i gilydd.
3. Hidlo'r tatws yn dda i gael gwared o'r dŵr i gyd ac yna eu cymysgu'n ofalus *(yn boeth)* gyda'r cynhwysion eraill.
4. Gorchuddio'r tatws gyda phapur glynu a'u rhoi yn yr oergell wedi iddynt oeri ychydig. Mae hyn yn rhoi amser i'r blas ddatblygu.
5. Gellir ychwanegu cynhwysion eraill i'r rysáit yma e.e. helogan wedi ei dorri'n fân, garlleg wedi ei wasgu, darnau o bupur coch, darnau o wy wedi ei ferwi'n galed gyda chucumerau wedi eu piclo, darnau o gig moch wedi eu ffrio'n grimp.
6. Mae'r bwydlys hwn yn blasu'n dda gyda chigoedd a phastai oer. Mae yn ddefnyddiol hefyd ar fwrdd bwffe.

GEIRFA

Bwydlys tatws—*potato salad* Dyfrllyd—*watery* Finegr seidr—*cider vinegar* Olew llysiau—*vegetable oil* Sibolsen—*spring onion* Persli ffres—*fresh parsley* Mwstard Cymreig—*Welsh mustard* Yn y cyfamser—*in the meantime* Hidlo—*drain* Gorchuddio—*cover* Papur glynu—*cling-film* Oergell—*refrigerator* Datblygu—*to develop* Helogan—*celery* Garlleg—*garlic* Pupur coch—*red pepper* Wy—*egg* Cucumerau wedi eu piclo—*pickled cucumbers* Cig moch—*bacon* Ffrio'n grimp—*fry until crisp*

46. Bwydlys Moron ac Oren

MAE hwn yn addas i roi lliw ar fwrdd bwffe neu i'w roi gyda bwydlysiau eraill ar blataid o fwydydd oer.

CYNHWYSION

1½ pwys/600 gram moron
8 owns/200 gram rhesin
sudd 2 oren mawr
6 llond llwy fwrdd o olew cnau Ffrengig (Mae unrhyw olew llysiau yn addas ond mae blas arbennig ar hwn.)
2 lond llwy fwrdd o finegr
½ llond llwy de o fintys y graig wedi ei sychu
pupur a halen

DULL

1. Rhoi'r rhesin yn y sudd oren nes iddynt amsugno peth o'r hylif a thewychu.
2. Gratio'r moron yn fras *(gellir defnyddio prosesydd bwyd i wneud y gwaith)*.
3. Cymysgu'r moron gyda'r rhesin a'r sudd oren.
4. Rhoi cynhwysion y blaslyn mewn potyn gyda chaead arno a'u hysgwyd yn dda gyda'i gilydd.
5. Ychwanegu digon o'r blaslyn i wlychu'r moron.
6. Gweinir mewn powlen neu ar y plât yn barod.

GEIRFA

Moron—*carrots* Rhesin—*raisins* Oren—*orange* Olew cnau Ffrengig—*walnut oil*
Mintys y graig—*marjoram* Sudd—*juice* Amsugno—*absorb* Gratio—*grate*
Prosesydd bwyd—*food processor* Blaslyn—*salad dressing* Ysgwyd—*shake* Gwlychu—*moisten*

47. Reis

1. Mae angen 2 owns/50 gram o reis amrwd ar gyfer pob person.
2. Dod â llond sosban fawr o ddŵr gyda 1 llwy de o halen i'r berw.
3. Tywallt y reis yn araf i'r dŵr berwedig a'i gymysgu unwaith gyda llwy—mae hynny'n rhwystro'r darnau reis rhag casglu ar waelod y sosban a glynu i'w gilydd.
4. Ychwanegu llond llwy fwrdd o olew i'r dŵr er mwyn rhwystro'r reis rhag berwi drosodd. Coginio'r reis heb gaead arno.
5. Mae reis gwyn yn cymryd oddeutu 20 munud i goginio a reis brown oddeutu 40 munud. Rhaid profi darn neu ddau i wneud yn siŵr nad yw'r canol yn galed.
6. Hidlo'r reis a'i olchi gyda dŵr berwedig i gael gwared o starts ac yna ei roi i sychu a chwyddo yn ei stêm ei hun. Byddaf i yn ei adael wedi ei orchuddio am ychydig yn yr hidlen dros sosban ar ben popty poeth, neu fe ellir ei roi wedi ei orchuddio mewn dysgl yn y ffwrn am oddeutu 10 munud.
7. Cyn ei weini, ychwanegwch delpyn bach o fenyn i'r reis a'i weithio i mewn yn ofalus gyda fforc—i dynnu'r darnau oddi wrth ei gilydd.

Reis Sawrus

1. Ffrio cymysgedd o lysiau wedi eu torri'n fân mewn olew llysiau e.e. nionyn, sibols, madarch, pupur coch neu wyrdd, corn melys, pys, ffa Ffrengig ac ychwanegu rhyw ½ llond llwy de o berlysiau cymysg atynt.
2. Ychwanegu'r llysiau poeth i'r reis poeth a'i weini gyda chig neu bysgod.

Bwydlys Reis

1. Ar ôl i'r reis sychu, ei adael i oeri.
2. Ychwanegu sibols wedi eu torri'n fân, pupur coch a phupur gwyrdd wedi eu torri'n fân, madarch amrwd wedi eu torri, pys neu gorn melys wedi eu coginio, llond llaw o swltanas a hefyd llond llaw o unrhyw gnau wedi eu torri.
3. Gwneud blaslyn:-
   a) Rhoi 2 lond llwy fwrdd o finegr a 4 llond llwy fwrdd o olew gyda ½ llond llwy de o berlysiau cymysg ac ychydig o halen a phupur mewn potyn a chaead arno.
   b) Ei ysgwyd yn dda i wneud emwlsiwn a'i dywallt dros y cymysgedd

reis gan ei gymysgu i mewn yn ofalus gyda fforc.

4. Gweinir y bwydlys gyda phastai neu gigoedd oer. Mae'n ddefnyddiol iawn ar fwrdd bwffe gan ei fod yn lliwgar. Byddaf i yn ei roi mewn pentwr ar blât hirgwrn ac yna yn ei addurno gyda phersli wedi ei dorri'n fân.

GEIRFA

Reis—*rice* Reis amrwd—*uncooked rice* Hidlo—*strain* Hidlen—*strainer or colander* Nionyn—*onion* Sibols—*spring onions* Madarch—*mushrooms* Reis sawrus—*savoury rice* Pupur coch—*red pepper* Pupur gwyrdd—*green pepper* Corn melys—*sweetcorn* Pys—*peas* Ffa Ffrengig—*French beans* Perlysiau cymysg—*mixed herbs* Swltanas—*sultanas* Blaslyn bwydlys—*salad dressing* Emwlsiwn—*emulsion*

Dewisiad o Gawsiau Cymreig

MAE powlen o Gawl Cennin Hufennog (Rysáit 13) a Basged o Gawsiau Cymreig yn ginio anffurfiol, blasus a didrafferth. Mae angen digon o fara ffres gyda'r pryd a byddaf i yn hoff o fara grawn. Credaf fod cydbwysedd da rhwng ansawdd a blas y chwe chaws isod a phan oeddwn yn yr ardal roeddwn yn eu prynu yn y Welsh Cellar, Aberystwyth gan fod y perchennog yn arbenigwr ar gawsiau a phob amser yn fodlon chwilio am fathau newydd ar y farchnad. Bellach, rydym yn gwerthu'r cawsiau yn ein siop Gwledd o Gymru ym Mhwllheli. Ceir stondin gaws arbennig o dda yn y farchnad yng Nghaerfyrddin hefyd.

Byddaf yn gweini'r cawsiau ar fasged hirsgwar fflat neu ar un gron sydd yn dipyn mwy o faint. Da o beth yw addurno'r fasged â chlwstwr o rawnwin a rhosynnau tomato (Rysáit 88). Byddaf hefyd yn rhoi ychydig o goesau helogan mewn gwydraid o ddŵr i'w bwyta gyda'r caws.

Caws Llanboidy
Caws caled wedi ei wneud o lefrith cyflawn o'r hen frid prin o wartheg a elwir yn *Red Poll.* Yn Login ger Hendy-gwyn, Dyfed y gwneir y caws yma. Gellir ei gael gyda blas bara lawr arno hefyd.

Caws Cenarth wedi ei fygu
Cawsiau traddodiadol yn null Caerffili a Swydd Gaer yw'r cawsiau plaen. Rwyf i'n hoff iawn o'r cawsiau llai sydd yn cael eu mygu. Mae'n ychwanegu blas diddorol i'r fasged gaws—mae fy mhlant yn hoff iawn o'r caws yma.

Caws Teifi
Mae hwn yn cael ei wneud yn Llandysul, Dyfed ac yn gaws tebyg o ran ansawdd i gaws *Gouda* o'r Iseldiroedd. Caiff ei wneud â *rennet* llysieuol, ac mae'n isel mewn braster a sodiwm. Gellir cael caws Teifi a blasau amrywiol arno e.e. cennin syfi, garlleg, helogan a garlleg, nionyn a garlleg, danadl poethion, pupur melys a hadau mwstard.

Caws Pencarreg
Caws meddal wedi ei wneud o lefrith cyflawn y fuwch ac yn debyg i'r

caws Ffrengig a elwir yn *Brie*. Mae'n cael ei wneud yn Llanbedr Pont Steffan, Dyfed.

Caws Skirrid

Mae'r caws yma yn cael ei wneud o lefrith dafad gan gwmni Acorn ger Y Fenni. Mae blas mwyn ar y caws yma ac unwaith y cewch yr hyder i'w flasu, rwy'n sicr y bydd yn un o'ch ffefrynnau.

Caws Sant Illtud

Dyma gaws newydd ar y farchnad sydd hefyd yn cael ei wneud ger Y Fenni: caws cryf o fath Swydd Gaer yn cynnwys gwin Cymreig, garlleg a pherlysiau. Mae'n hynod o flasus.

GEIRFA

Cinio anffurfiol—*informal dinner* Bara grawn—*granary bread* Hirsgwar—*rectangular*
Grawnwin—*grapes* Rhosynnau tomato—*tomato roses* Helogan—*celery* Hendy-gwyn—*Whitland*
Bara lawr—*laverbread* Caws Swydd Gaer—*Cheddar cheese* Mygu—*smoke*
Braster—*fat* Cennin syfi—*chives* Garlleg—*garlic* Danadl poethion—*nettles*
Pupur melys—*sweet pepper* Hadau mwstard—*mustard seeds* Llefrith cyflawn—*full fat milk*
Mwyn—*mild* Perlysiau—*herbs*

TREFNU'R ACHLYSUR

1. I wneud yn sicr fod yr achlysur yn un llwyddiannus, rhaid cynllunio'n ofalus.
2. Dewiswch wahoddedigion sydd â rhyw gysylltiad â'i gilydd neu yn rhannu'r un diddordeb. Nid yw bob amser yn ddoeth dod â chriw at ei gilydd sydd yn gweithio yn yr un maes—os bydd y drafodaeth yn troi at waith, ni fydd y criw yn ymlacio. Fe all amrywiaeth oedran wneud achlysur yn un difyr ond unwaith eto rhaid dewis yn ofalus. Y lleiaf yn y byd yw'r criw, yna y mwyaf gofalus mae'n rhaid bod.
3. Sicrhewch fod pawb yn cofio'r dyddiad a'r amser. Mae'n syniad ffonio i atgoffa'r gwahoddedigion ychydig ddyddiau ymlaen llaw.
4. Dywedwch wrthynt am gyrraedd ryw hanner awr cyn y bydd y bwyd yn barod i'w weini. Bydd hyn yn rhoi cyfle i'r rhai sydd bob amser yn hwyr i gyrraedd erbyn y cinio ac i'r gweddill i ddod i adnabod ei gilydd dros ddiod bach.
5. Cofiwch fod yn barod mewn pryd i groesawu'r gwahoddedigion. Peidiwch â cheisio paratoi dim sydd y tu hwnt i'ch gallu. Mae'n bwysig eich bod chi yn mwynhau'r achlysur hefyd.
6. Does neb yn hoffi edrych yn wahanol iawn i weddill y criw felly dywedwch wrth y gwahoddedigion pa fath o achlysur ydyw—ffurfiol neu anffurfiol.
7. Er mwyn i chi gael amser i ofalu am y bwyd, rhowch y diodydd yng ngofal rhywun arall.
8. Os byddwch yn coginio pryd anarferol, gofalwch roi dewis arall. Mae rhai pobl yn geidwadol o ran y bwydydd y maent yn fodlon eu bwyta.
9. Gofalwch fod llieiniau glân a digon o sebon yn yr ystafell ymolchi a bod yna ystafell bwrpasol ar gyfer cotiau. Mae'n bwysig hefyd bod yna ddrych at ddefnydd y gwahoddedigion.
10. Os byddwch wedi cynllunio'n ofalus bydd y parti yn edrych ar ôl ei hun. Pob hwyl!

TREFNU PRYDAU A CHYNLLUNIO BWYDLENNI

Nid gwaith hawdd yw cynllunio prydau a bwydlenni da oherwydd mae'n rhaid yn gyntaf ysyried llawer o bwyntiau pwysig.

1. Beth yw'r achlysur—a ydyw'r pryd yn un ffurfiol neu anffurfiol?
2. Faint o bobl sy'n cael eu bwydo—a ydynt yn eich adnabod yn dda?
3. Pa amser o'r flwyddyn yw hi?
4. Faint o arian sydd gennych i'w wario ar y bwyd?
5. Faint o amser sydd gennych i baratoi'r pryd?
6. Pa mor brofiadol ydych chi?

* * * * * *

1. Os yw'r achlysur yn un arbennig iawn, fe ellir gweithio o amgylch thema neu liw arbennig e.e. priodas aur—cadw'r bwrdd ac efallai hyd yn oed y bwyd mewn lliwiau addas. Mae'n bwysig i'r bwrdd edrych yn ddeniadol beth bynnag yw'r achlysur ond os yw'r achlysur yn un ffurfiol, dyma'r cyfle i dynnu'r llestri, y gwydrau a'r offer bwyta gorau o'r cypyrddau.
2. Os oes gennych nifer fawr o bobl yn bwyta, mae angen penderfynu a oes digon o le iddynt i gyd eistedd yn gyffyrddus o amgylch un bwrdd. Os nad oes lle, efallai mai gwell fyddai paratoi bwffe gydag ychydig o gadeiriau a byrddau bach o gwmpas. Mae lampau bwrdd yn lle goleuadau o'r nenfwd yn gallu creu awyrgylch arbennig. Wrth gwrs mae canhwyllau ar y bwrdd yn creu awyrgylch rhamantus ond gwnewch yn siŵr fod yna ddigon o olau i bawb weld beth maent yn ei fwyta.
3. Mae pa amser o'r flwyddyn yw hi yn gallu bod yn hollbwysig. Os yw'n oer iawn, does dim gwell na chawl i ddechrau pryd ac os yw'n boeth, mae'n well cadw'r rhan helaeth o'r pryd yn oer ac yn ysgafn. Gall yr amser o'r flwyddyn effeithio ar y bwydydd ffres sydd ar gael, er bod hyn wedi newid tipyn dros y blynyddoedd gan ein bod bellach yn mewnforio cymaint o ffrwythau a llysiau ac mae'n bosibl rhewi llawer o fwydydd yn effeithiol. Os yw hi'n braf, nid oes dim yn fwy pleserus na bwyta ar batio yn yr ardd.
4. Nid oes rhaid gwario yn wirion ar fwyd i wneud pryd yn arbennig a

gwahanol. Gellwch weld hynny o'r ryseitiau yn y llyfr yma.

5. Mae'n bwysig nad ydych yn gorflino cyn cael pobl draw am bryd, neu ni fyddwch yn mwynhau yr achlysur. Dewisiwch y fwydlen yn ofalus. Nid oes dim o'i le ar un cwrs poeth a dau gwrs oer wedi eu paratoi tipyn o flaen llaw.
6. Os nad ydych yn gogydd profiadol, mae'n well cadw'r fwydlen yn syml a'i gwneud yn dda yn hytrach na dewis seigiau cymhleth a'u paratoi'n wael.

GEIRFA

Pryd ffurfiol—*formal meal* Achlysur arbennig—*special occasion* Priodas aur—*golden wedding*
Bwffe—*buffet*

Cawl Cennin Hufennog *(Rysáit 10)*

Cocos mewn Cytew gyda Throchiad Lemwn *(Rysáit 14)*

Cig Oen mewn Mêl a Seidr *(Rysáit 16)*

Crempog Cân-y-Delyn *(Rysáit 31)*

Madarch Sant Illtud *(Rysáit 81)*

Hwyaden gyda Saws Ceirios Du *(Rysáit 82)*

Cacen Rhys a Meinir *(Rysáit 83)*

Trwfflau Siocled *(Rysáit 84)*

Llysiau Cinio Dydd Sul

Dewisiad o Gawsiau Cymreig

Dewch i ginio

Bwffe oer

DEWIS Y FWYDLEN

1. Dewisiwch o leiaf un cwrs poeth, ac yna un cwrs oer i ysgafnhau'r gwaith.
2. Cofiwch fod pobl yn 'bwyta gyda'u llygaid' yn gyntaf. Mae'n rhaid i'r pryd edrych yn ddeniadol. Gwnewch yn siŵr fod lliwiau'r bwydydd yn ddiddorol ac yn asio â'i gilydd ac â'r cefndir e.e. platiau. Nid yw bwyd gyda saws tomato yn mynd i edrych yn dda ar blât porffor. Mae pryd hefyd yn gallu edrych yn ddi-liw neu yn unlliw e.e. cawl cennin hufennog, pysgod gyda saws persli, tatws hufennog a phys, a tharten Eirin Mair i ddilyn—mae'r pryd i gyd yn wyrdd ac yn anniddorol.
3. Rhaid trio cymysgu bwydydd o wahanol ansawdd gyda'i gilydd e.e. os ydych am weini pwdin meddal fel Ffŵl Eirin, da o beth yw rhoi bisgeden gras gydag ef.
4. Peidiwch â defnyddio yr un math o flas fwy nag unwaith mewn pryd. Ni fuaswn yn argymell i chwi baratoi *Pâté* Macrell wedi ei fygu fel eich cwrs cyntaf ac yna Brithyll gyda Chig Moch fel eich prif gwrs. Nid yw'n syniad da ychwaith defnyddio Gwyntyll Melwn gyda Saws Mwyar Duon fel cwrs cyntaf ac yna Salad Ffrwythau Ffres fel pwdin gan eu bod yn rhy debyg.

Enghreifftiau o Fwydlenni Cytbwys
(ynghyd â rhif y rysáit)

Melwn Myrddin *(Rysáit rhif 7)*
Brithyll a Chig Moch *(Rysáit rhif 24)*
Sglodion tatws, Pys Ffrengig *(Rysáit rhif 75)*, tomatos wedi eu gridyllu
Cwpanau Siocled Gwyn *(Rysáit rhif 87)*

* * * * * *

Selsig Morgannwg (gyda Saws Mwstard) *(Rysáit rhif 13)*
Cig Oen mewn Mêl a Seidr *(Rysáit rhif 16)*
Tatws *Duchesse (Rysáit rhif 37)*, moron, blodfresych
Salad Ffrwythau Coch (gyda hufen neu hufen iâ) *(Rysáit rhif 90)*

* * * * * *

Gwyntyll Melwn gyda Saws Mwyar Duon *(Rysáit rhif 8)*
Pastai Ffowlyn Cymreig *(Rysáit rhif 18)*
Tatws trwy'u crwyn, Blodfresych Gaeaf gyda Saws Hufen ac Almwn *(Rysáit rhif 77)*,
corn melys
Crempog Cân-y-Delyn *(Rysáit rhif 31)*

* * * * * *

Grawnffrwyth Poeth *(Rysáit rhif 9)*
Stecen Cig Eidion Sŵn-y-Môr *(Rysáit rhif 22)*
Tatws Pencarreg *(Rysáit rhif 36)*, madarch a thomato wedi eu gridyllu,
Bwydlys Cymysg *(Rysáit rhif 41)*
Cacen Goffi a Tia Maria *(Rysáit rhif 33)*

* * * * * *

Crempog gyda Saws Madarch a Chorgimychiaid *(Rysáit rhif 15)*
Cyw Iâr gyda Saws Oren a Gwin Gwyn *(Rysáit rhif 19)*
Tatws Rhost *(Rysáit rhif 79)*, ffa Ffrengig, stribedi moron
Ffŵl Eirin a Sinamon *(Rysáit rhif 28)*

* * * * * *

Cawl Llysiau Melyn gyda *Croûtons (Rysáit rhif 11)*
Rholiau Lleden gyda Saws Madarch Hufennog *(Rysáit rhif 23)*
Reis sawrus *(Rysáit rhif 47)* a *courgettes* yn null Provence
Tarten Gellyg a Chyffug *(Rysáit rhif 34)*

* * * * * *

Cocos mewn Cytew gyda Throchiad Lemwn *(Rysáit rhif 14)*
Golwython Porc gyda Saws Barbeciw *(Rysáit rhif 20)*
Nythod tatws wedi eu llenwi â chymysgedd o lysiau *(gw.t.84)*
Treiffl Nant Gwrtheyrn *(Rysáit rhif 27)*

* * * * * *

GEIRFA

Sglodion tatws—*chipped potatoes* Pys Ffrengig—*French-style peas*
Tomatos wedi eu gridyllu—*grilled tomatoes* Blodfresych—*cauliflower*
Tatws trwy'u crwyn—*jacket potatoes* Blodfresych gaeaf—*broccoli* Cnau almwn—*almonds*
Corn melys—*sweetcorn* Stecen—*steak* Bwydlys cymysg—*mixed salad*
Tatws rhost—*roast potatoes* Ffa Ffrengig—*French beans* Stribedi moron—*julienne strips of carrots*
Reis sawrus—*savoury rice* Nythod tatws—*potato nests* Bwydlen gytbwys—*balanced menu*

GOSOD Y BWRDD

Mae golwg y bwrdd yn creu awyrgylch yn syth. Dylai popeth arno fod yn berffaith lân. Dylid sgleinio'r gwydrau ac fe fyddaf i yn golchi'r offer bwyta mewn dŵr poeth a hylif golchi llestri cyn eu rhoi ar y bwrdd.

1. Dylai'r lliain bwrdd hongian o leiaf 9 modfedd dros ymyl y bwrdd. Os oes gennych fwrdd da, cofiwch ddefnyddio matiau pwrpasol neu orchudd bwrdd tew os bydd dysglau neu blatiau poeth yn mynd arno. Gwell defnyddio lliain bwrdd heb batrwm arno gan fod y bwyd yn dangos i fyny'n well. Lliain gwyn oedd yn arfer cael ei ddefnyddio ar achlysuron ffurfiol ond bellach gellir defnyddio unrhyw liw sy'n gweddu ac mae llawer o bobl yn hoffi defnyddio llieiniau lês. Os oes gennych fwrdd tlws iawn, gellir ei arddangos trwy ddefnyddio matiau yn unig. Cofiwch ddefnyddio matiau bach o dan y gwydrau gwin hefyd.
2. Yr un patrwm sydd angen ei ddilyn o ran offer bwyta, beth bynnag yw'r achlysur. Wrth gwrs bydd mwy ohonynt pan fydd yr achlysur yn un ffurfiol.
   a) Mae'r cyllyll a'r llwyau bob amser ar yr ochr dde a'r ffyrc ar yr ochr chwith.
   b) Dechreuir ar y tu allan gan weithio i mewn.
   c) Mae llwyau bach i fwyta gellyg afocado neu hufen iâ, neu unrhyw offer arbennig, yn cael eu cludo at y bwrdd gyda'r bwydydd hynny.
   ch) Mae dannedd y ffyrc i bwyntio at i fyny a llafnau'r cyllyll i droi am i mewn.
   d) Gellir dodi'r llwy a'r fforc bwdin ar draws y bwrdd, rhwng blaenau'r cyllyll a'r ffyrc—y llwy uwchben y fforc, a'r llwy gyda'i handlen yn pwyntio tua'r dde a'r fforc yn pwyntio'r ffordd arall.
   dd) Gellir rhoi cyllell fara fach ar blât ochr os dymunir.
3. Mae'r plât bach ochr yn cael ei roi ar ochr chwith y gosodiad. Os dechreuir gyda chwrs oer, gellir ei roi yn ei le ar y bwrdd cyn i bawb eistedd. Fel arall daw'r platiau at y bwrdd fel mae eu hangen gyda phob cwrs. Os bydd rhaid gafael mewn unrhyw fwydydd, mae'n syniad da darparu powlenni golchi bysedd.

4. Mae angen gwydr gwahanol ar gyfer pob gwin sydd i'w weini gyda'r pryd. Os nad oes ond un math o win dylai'r gwydr fod uwchben cyllell y prif gwrs. Os oes mwy nag un, gosodwch hwynt yn y drefn yr ydych am weini'r gwin, neu gellir ffurfio siâp triongl gyda'r gwydrau. Os ydych am weini sieri, gwirod, port neu frandi wrth y bwrdd gellir rhoi y gwydrau ar eu cyfer ar fwrdd bach gerllaw.
5. Gellir plygu'r napcynau mewn siâp hirgrwn. Gellir eu rholio i fyny a'u rhoi mewn gwydrau neu gellir eu clymu gyda rhuban a dodi clwstwr bach o flodau ar bob un. Gellir hefyd ddysgu sut i'w plygu'n arbennig.

GEIRFA

Creu—*create* Awyrgylch—*atmosphere* Sgleinio—*polish*
Hylif golchi llestri—*washing-up liquid* Gorchudd—*covering* Patrwm—*pattern* Lês—*lace*
Cyllyll—*knives* Llwyau—*spoons* Ffyrc—*forks* Gosodiad—*setting*
Dannedd y ffyrc—*fork prongs* Llafnau—*blades* Sieri—*sherry* Gwirod—*liqueur*
Napcynau—*napkins* Clymu—*tie* Rhuban—*ribbon* Clwstwr—*cluster*

Lili Ddŵr

i) Agor y napcyn a dod â'r pedair cornel i gyfarfod ei gilydd yn y canol i ffurfio sgwâr newydd.

ii) Dod â phedair cornel y sgwâr newydd i gyfarfod yn y canol i wneud sgwâr newydd arall.

iii) Troi'r sgwâr drosodd a thynnu'r pedair cornel at y canol unwaith yn rhagor.

iv) Dodi gwydryn dŵr dros bwynt canol y napcyn a'i bwyso yn ei le gydag un llaw i gadw'r plygiadau yn eu lle. Tynnu'r rhannau rhydd sydd o dan y corneli.

v) Fel mae'r rhannau yma'n tynnu allan, rhaid pwyso'r pwynt ar yr ochr uchaf i'w ddal yn ei le. Rhaid gwneud hyn gyda'r pedair cornel.

vi) Rhaid tynnu'r darnau triongl sydd o dan y siâp a throi cornel pob un trosodd.

vii) Mae'r lili ddŵr yn gyflawn.

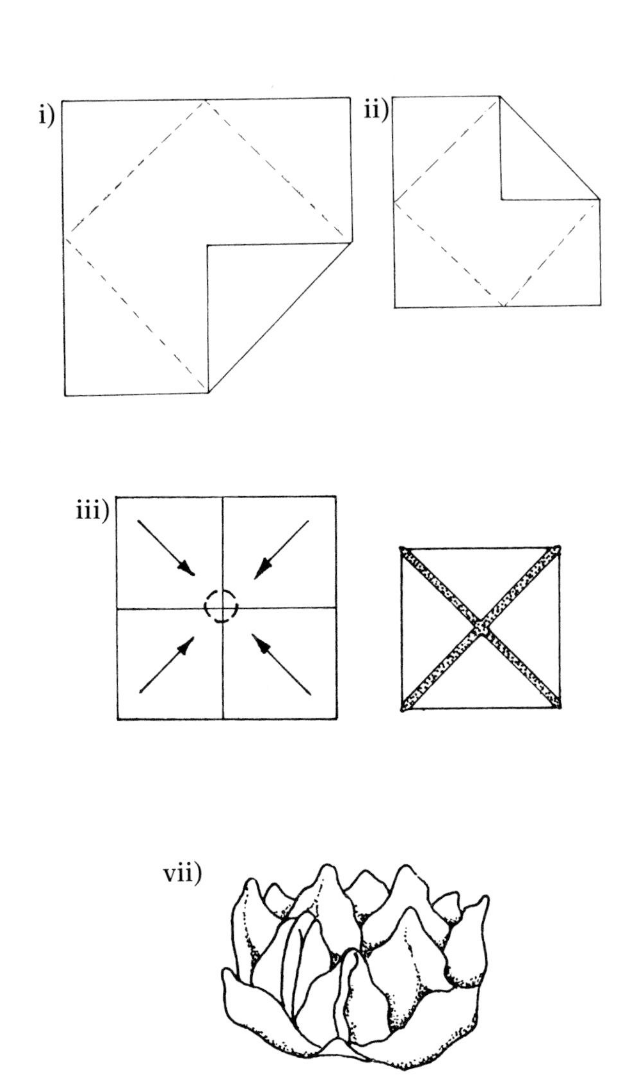

Gwyntyll

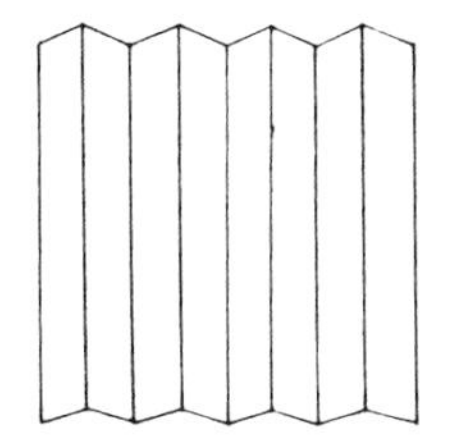

i) Agor y napcyn allan a'i blygu yn ei hanner.

ii) Gan ddechrau ag un pen, mae angen plygu'r napcyn fel consertina gyda'r plygiadau oddeutu 1 modfedd fel bod dwy ran o dair o'r napcyn wedi ei bletio.

iii) Plygu'r napcyn sydd wedi ei bletio yn ei hanner fel bo'r pletiau ar y tu allan.

iv) Gafael yn y napcyn gyda'r plygiad ar y top. Plygu'r darn gwaelod ar yr ochr chwith i'r hanner sydd heb ei bletio i fyny fel ei fod yn darnguddio'r plygiad.

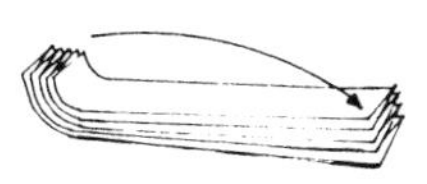

v) Plygu'r darn sydd dros ben, y tu ôl i'r darn siâp triongl o'r napcyn ac yna rhoi'r napcyn gyda'r darn dros ben wedi ei blygu a gwaelod y pletiau ar y bwrdd.

vi) Agor y pletiau i wneud siâp gwyntyll.

GEIRFA

Napcynau—*napkins* Plygu—*fold* Lili ddŵr—*water lily* Pwynt—*point* Cornel—*corner* Cyfarfod—*meet* Ffurfio—*form* Sgwâr—*square* Gwydryn dŵr—*tumbler* Plygiadau—*folds* Rhydd—*loose* Cyflawn—*complete* Gwyntyll—*fan* Pletio—*pleat* Darnguddio—*to overlap*

BLODAU AR Y BWRDD CINIO

1. Fe all blodau fod yn ganolbwynt hyfryd ar fwrdd ond dylent weddu i bopeth arall sydd arno yn hytrach na thynnu sylw atynt eu hunain.
2. Mae'n bwysig fod y trefniant yn edrych cystal o bob cyfeiriad felly gwell gwneud trefniant crwn.
3. Peidiwch â gwneud trefniant rhy uchel neu fe fydd y bobl yn gorfod sgwrsio gyda'r blodau yn hytrach na chyda'i gilydd.
4. Nid wyf yn hoffi blodau sych na blodau sidan ar fwrdd cinio—blodau ffres neu ddim yw fy arwyddair i! (Barn bersonol yw hon.)
5. Peidiwch â defnyddio blodau ag iddynt arogl cryf rhag ofn iddynt droi pobl oddi ar eu bwyd.
6. Mae'n bosibl defnyddio pen blodyn go dda yn unig, a gadael iddo nofio ar wyneb y dŵr mewn bowlen wydr.
7. Gellir hefyd roi un blodyn tlws mewn llestr gwydr hir a thenau.
8. Mae'n werth cadw'r trefniant blodau yn fychan a thaclus rhag i'r bwrdd edrych yn orlawn.
9. Cofiwch wneud yn siŵr fod lliw y blodau yn gweddu i liw gweddill y bwrdd.
10. Ar fwrdd bwffe mawr gellir defnyddio un trefniant blodau mawr fel canolbwynt. Mae hynny'n haws os yw'r bwrdd yn erbyn y wal. Os yw pobl yn gallu cerdded o amgylch y bwrdd, gwell cadw at nifer o drefniannau bach crwn.
11. Os nad oes lle i flodau ar y bwrdd bwffe, gwnewch drefniant blodau rywle arall yn yr ystafell neu gellir hefyd ddefnyddio basged o ffrwythau neu hyd yn oed fasged o lysiau fel addurn.
12. Peidiwch â defnyddio gormod o ddail gwyrdd yn llusgo ar y bwrdd. Rwy'n cofio mynd i ginio un tro a threulio fy amser yn edrych ar y pryfetach yn disgyn o'r trefniant blodau ar y bwrdd!
13. Os ydych yn defnyddio cannwyll ynghanol trefniant blodau, gwnewch yn sicr na fydd yna dân pan fydd wedi llosgi'n isel.

GEIRFA

Blodau—*flowers* Canolbwynt—*focal point* Gweddu—*complement* Trefniant—*arrangement*
Bob cyfeiriad—*all directions* Crwn—*round* Blodau sych—*dried flowers*
Blodau sidan—*silk flowers* Arwyddair—*motto* Arogl cryf—*heavy scent*
Pen blodyn—*flower head* Gorlawn—*overfull* Cannwyll—*candle* Llosgi—*burn*

COFFI

Yn fy marn i, nid yw pryd yn gyflawn heb gwpanaid dda o goffi i'w orffen. I gael y coffi gorau rhaid malu'r ffa eich hunan neu wneud yn sicr bod masnachwr cyfrifol yn gwneud y gwaith i chi. Gellir prynu'r coffi wedi ei falu a'i bacio mewn gwactod ac er nad oes dim o'i le ar hwn, nid yw ei ansawdd gystal.

Er bod coffi parod yn iawn i'w yfed yn gyffredinol, ni fuaswn yn ei roi i ymwelwyr ar ôl pryd o fwyd.

Mae blas y coffi yn dibynnu ar faint o siwgr ac asid sydd yn y ffa, ymhle mae'r coffi wedi ei dyfu ac am faint mae'r ffa wedi cael eu rhostio. Bydd y dull a ddefnyddiwch i wneud eich coffi yn effeithio rhywfaint ar y blas hefyd.

Mae yna ddewis helaeth o ffa coffi ar gael ond os nad ydych yn gwybod llawer am y pwnc gofynnwch am gymorth. Mae ffa coffi o Columbia, Kenya, a Costa Rica yn rhai da i ddechrau â hwy gan fod blas mwyn arnynt ac maent hefyd yn addas i'w cymysgu â ffa eraill os ydych eisiau mwy o gic yn y blas. Un o'm ffefrynnau personol i yw *Blue Mountain* o Jamaica—mae'n fwyn ac yn felys ac mae arogl hyfryd iddo.

Mae dewis y dull o wneud y coffi yn gallu bod yn gymhleth ond yr un yw'r broses sylfaenol—mae'r dŵr poeth a'r gronynnau coffi yn cymysgu gyda'i gilydd, a'r coffi yn gollwng ei flas a'i arogl i wneud diod hyfryd i'w hyfed.

Beth bynnag a wnewch, prynwch y ffa coffi gorau y gallwch eu fforddio. Malwch y ffa yn union cyn eu defnyddio.

I wneud y coffi gorau fe ddylai'r dŵr fod ychydig o dan y berwbwynt (95°C/203°F). Os ydyw yn ferw, mae'n tynnu blas chwerw o'r coffi.

Faint o goffi dylid ei ddefnyddio? Yn gyffredinol defnyddiwch 2 lwy de wastad o goffi i 7 ml o ddŵr pan fyddwch yn defnyddio gronynnau mân. Os yw'r gronynnau'n fwy, neu os ydych yn mwynhau eich coffi'n gryf iawn, defnyddiwch fwy ohonynt.

DULLIAU O WNEUD COFFI

1. Dyma'r ffordd symlaf:-
   a) Dodi'r coffi mewn jwg.
   b) Tywallt y dŵr poeth drosto.
   c) Gadael iddo fwydo am oddeutu 5 munud.
   ch) Ei hidlo cyn ei ddefnyddio.
2. *Cafetière.* Dyma beth yr wyf i yn ei ddefnyddio'n aml. Mae'n ddidrafferth ac, a dweud y gwir, yn defnyddio'r un dull â rhif 1 ond bod yna hidlydd yn y potyn ei hun.
3. Mae llawer yn defnyddio hidlydd *(filter)*. Mae rhai syml iawn ar y farchnad—gellir rhoi papur hidlo yn cynnwys y coffi mewn math o dwmffat dros jwg a thywallt y dŵr drwyddo neu gellir prynu rhai trydan sydd yn gwneud yr un gwaith ac yn cadw'r coffi'n boeth yr un pryd.
4. Gellwch brynu percoladur trydan. Mae'r dŵr poeth yn pasio drwy fasged o ronynnau coffi am amser penodedig ac yna mae'r coffi'n aros yn boeth nes y bydd yn cael ei ddefnyddio.

Fel arfer mae siwgr demerara cras yn cael ei weini gyda choffi ond ar gyfer achlysur arbennig gellir prynu gronynnau siwgr gwyn, brown neu amryliw.

Gweinir y coffi yn ddu, gyda llefrith neu hufen. Os ydych yn defnyddio llefrith, mae'n werth ei gynhesu rhag iddo oeri'r coffi. Nid wyf am fanylu am goffi arbennig fel *Espresso* neu *Cappuccino* yn y llyfr hwn gan fy mod yn sôn am goffi i'w weini ar ôl cinio yn unig.

GEIRFA

Coffi—*coffee* Malu—*grind* Ffa coffi—*coffee beans* Masnachwr—*merchant*
Cyfrifol—*responsible* Gwactod—*vacuum* Coffi parod—*instant coffee* Gronynnau—*granules*
Chwerw—*bitter* Gwastad—*level* Hidlo—*strain* Didrafferth—*trouble free* Twmffat—*funnel*
Percoladur—*percolator* Penodedig—*stipulated* Siwgr demerara—*Demerara sugar*
Gronynnau siwgr—*sugar granules* Amryliw—*multi-coloured*

RHAN 2

48. Pastai Cig Oen Sawrus

MAE'N bosibl prynu briwgig oen fwyfwy y dyddiau yma. Yr ydych yn ei weld yn aml yn yr archfarchnadoedd wedi ei bwyso a'i bacio'n barod neu wrth gwrs gellwch ofyn i'ch cigydd ei baratoi'n arbennig i chi.

CYNHWYSION

8 owns/200 gram crwst blawd cyflawn (rysáit rhif 2)
1 pwys/400 gram briwgig oen Cymreig
1 genhinen fach
darn oddeutu 2 owns/50 gram rwden a moronen
½ llond llwy de o deim wedi ei sychu
1 tun o gawl nionod Ffrengig
pupur a halen
menyn neu olew i goginio
1 llond llwy fwrdd o flawd corn wedi ei gymysgu â dŵr

DULL

1. Paratoi'r crwst a rholio oddeutu ei hanner i orchuddio plât gyda rhywfaint o ddyfnder iddo. Byddaf i'n defnyddio platiau enamel ar gyfer y mathau yma o ryseitiau—mae crwst bob amser yn coginio oddi tano'n well ar blât neu dun metal. Rholio gweddill y crwst yn barod a'i roi o'r neilltu.
2. Glanhau a thorri'r genhinen yn fân. Plicio'r foronen a'r rwden a'u gratio'n fras. Agor y tun cawl a'i hidlo fel bod y nionod yn yr hidlen a'r hylif mewn jwg.
3. Ffrio'r llysiau yn araf mewn ychydig o fenyn neu olew nes iddynt feddalu heb droi eu lliw. Ychwanegu'r briwgig oen a'u ffrio gyda'i gilydd am oddeutu chwarter awr. Bydd y cig wedi troi ei liw. Defnyddiwch fforc i gymysgu'r cynhwysion yn y badell gan fod briwgig yn dueddol o lynu yn dalpiau os nad ydych yn ofalus.
4. Ychwanegu'r teim a'r nionod o'r tun cawl.
5. Ychwanegu pupur ac ychydig o halen. Profwch y cymysgedd rhag ofn fod angen mwy.
6. Defnyddiwch y cymysgedd i lenwi'r bastai ac yna defnyddio'r toes

sydd yn weddill fel caead iddi. Cofiwch wneud toriad ar ben y bastai er mwyn i'r stêm ddod allan.

7. Coginio'r bastai am oddeutu 25 munud ar wres nwy 5/190°C—nes y bydd y crwst yn frown golau.
8. Pan fydd y bastai bron yn barod, tywallt yr hylif o'r tun cawl nionod i sosban a'i gynhesu. Ychwanegu ychydig o'r blawd corn a dŵr a'i chwisgio'n galed. Mae hwn yn gwneud math o refi i weini gyda'r bastai. Os am refi tewach, ychwanegwch fwy o flawd corn.
9. Gweinir gyda thatws trwy'u crwyn a llysiau tymhorol.

GEIRFA

Pastai—*pie or pasty* Cig oen—*lamb* Sawrus—*savoury* Briwgig—*mince* Rwden—*swede* Cenhinen—*leek* Moronen—*carrot* Cawl nionod Ffrengig—*French onion soup* Hidlo—*strain* Teim—*thyme* Grefi—*gravy* Llysiau tymhorol—*seasonal vegetables*

49. Tarten Cig Moch

FY NAIN Caerdydd oedd yn gwneud y saig yma ac roedd fy mam yn ei gwneud hefyd. Bellach mae fy nheulu i yn ei bwyta. Nid wyf wedi clywed am unrhyw un arall sy'n gwneud y darten arbennig hon.

CYNHWYSION

8 owns/200 gram crwst brau (rysáit rhif 1)
1½ pwys/600 gram o datws
1 nionyn mawr
8 owns/200 gram cig moch brith
pupur a halen
ychydig o ddŵr

DULL

1. Rholio oddeutu ⅔ o'r crwst i orchuddio plât mawr gyda thipyn o ddyfnder iddo. Byddaf i'n defnyddio plât enamel er mwyn i'r crwst goginio'n dda oddi tano. Rholio gweddill y crwst yn barod i wneud caead i'r darten a'i roi o'r neilltu am y tro.
2. Plicio'r tatws a'u torri'n haenau tenau iawn.
3. Tynnu'r croen oddi ar y nionyn a'i dorri'n fân.
4. Tynnu'r croen allanol oddi ar y cig moch a'i dorri'n ddarnau oddeutu 2 fodfedd/5cm.
5. Rhoi haenau o'r tatws a'r nionyn bob yn ail ar grwst gwaelod y darten gan ddechrau a gorffen gyda haen o datws. Ychwanegu ychydig o halen a phupur at bob haen.
6. Dodi'r cig moch yn daclus ar ben yr haen uchaf o datws.
7. Taenellu oddeutu 3 llond llwy fwrdd o ddŵr dros y cig moch.
8. Gorchuddio'r cymysgedd gyda'r crwst sydd eisoes wedi ei rolio allan. Gellir brwsio'r crwst gyda llefrith neu gymysgedd o lefrith ac wy i roi sglein i'r darten.
9. Coginio'r darten ar wres nwy 4/170°C am oddeutu 1½ awr *(mae'n cymryd tipyn o amser i'r tatws amrwd goginio)*. Bydd angen gorchuddio wyneb y darten â phapur gloyw rhag iddi grasu gormod.
10. Gweinir y darten yn boeth gyda llysiau tymhorol neu yn oer gyda bwydlys cymysg.

GEIRFA

Tarten—*tart, pie* Cig moch—*bacon* Crwst brau—*shortcrust pastry* Cig moch brith—*streaky bacon* Taenellu—*sprinkle* Llefrith—*milk* Wy—*egg* Sglein—*glaze* Tatws amrwd—*raw potato* Papur gloyw—*kitchen foil* Llysiau tymhorol—*seasonal vegetables* Bwydlys cymysg—*mixed salad*

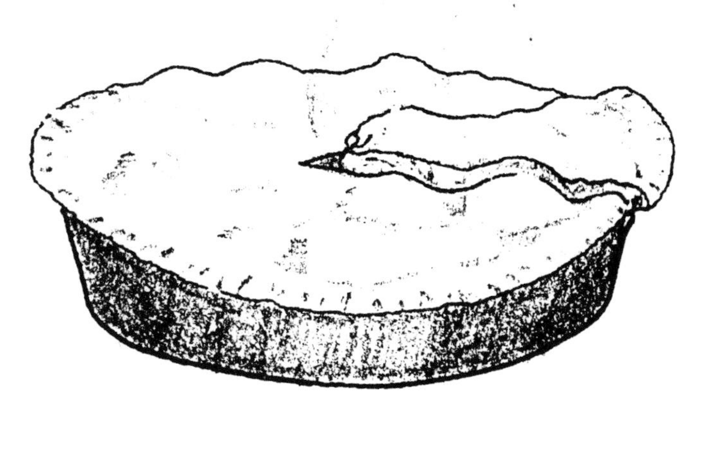

50. Crempog Sir Gâr

digon i 6

RWYF yn defnyddio caws Llanboidy yn y rysáit yma—caws caled traddodiadol wedi ei wneud o lefrith gwartheg *Red Poll.* Mae'n cael ei wneud yn Login ger Hendy-gwyn ar Daf, ac fe ellwch ei brynu yn blaen neu gyda bara lawr ynddo.

Os nad yw caws Llanboidy ar gael i chi'n lleol, gellwch ddefnyddio unrhyw gaws caled blasus yn y saig.

CYNHWYSION

½ **peint/300 ml crempog** (rysáit rhif 4) (Byddwch angen 2 grempog i bob person)
2 genhinen—oddeutu 8 owns/200 gram
6 owns/150 gram madarch
8 owns/200 gram cig moch
1 llond llwy de mintys y graig
½ **llond llwy de o halen**
10 owns hylif/300 ml o hufen dwbl (neu iogwrt plaen)
3 owns/75 gram caws Llanboidy wedi ei ratio
menyn neu olew i goginio'r llenwad

DULL

1. Bydd angen 12 crempog ar gyfer y rysáit yma—2 i bob person.
2. Glanhau a thorri'r cennin yn weddol fân, torri'r madarch a'r cig moch yn ddarnau bychain. Ffrio'r cyfan yn araf mewn menyn neu olew llysiau am oddeutu 10 munud—nes iddynt feddalu, ond does dim eisiau iddynt droi eu lliw.
3. Ychwanegu'r halen a mintys y graig.
4. Llenwi'r crempogau gyda'r cymysgedd a'u rholio i fyny.
5. Rhoi'r rholiau crempog mewn dysgl addas yn daclus wrth ochr ei gilydd. Mae gennyf ddysgl hirsgwar sy'n ddefnyddiol iawn i'r math yma o saig.
6. Cymysgu'r hufen neu'r iogwrt gyda'r caws a'i dywallt dros y crempogau.
7. Gorchuddio'r ddysgl â phapur gloyw a'i rhoi yn y ffwrn (nwy 5/190°C) am 20 munud. Yn ystod yr amser yma, bydd y caws a'r hufen/iogwrt wedi ffurfio saws blasus o amgylch y crempogau.

8. Addurno'r saig â phersli wedi ei dorri'n fân.
9. Gweinir y crempogau fel pryd ysgafn gyda bwydlys a bara Ffrengig. Os ydych am bryd mwy sylweddol, gellir eu gweini gyda thatws trwy'u crwyn.
10. Nid yw'r saig yma yn addas i'w rhewi. Gellir defnyddio'r microdon i gynhesu'r crempogau yn y saws ond gwell gennyf i ddefnyddio'r ffwrn gan fod y saws o ansawdd gwell.

GEIRFA

Caws caled—*hard cheese* Bara lawr—*laverbread* Cenhinen—*leek* Madarch—*mushrooms* Cig moch—*bacon* Mintys y graig—*marjoram* Owns hylif—*fluid ounce* Olew—*oil* Olew llysiau—*vegetable oil* Dysgl hirsgwar—*rectangular dish* Iogwrt—*yoghurt* Bwydlys—*salad* Bara Ffrengig—*French bread* Ansawdd—*texture.*

51. Cawl Cennin gyda Thwmplenni Sawrus

ROEDD 'Nhad o'r gogledd a Mam o'r de ac rwyf i wedi byw yn y ddwy ran o Gymru. Lobscows sydd yn cael ei wneud yn y gogledd ond, o'm rhan i, y de sydd yn ennill y tro hwn gyda'i gawl cennin. Mae hwn yn bryd ynddo'i hun. Rwy'n cofio pan oeddwn yn byw yng Nghaerfyrddin, bwyta'r hylif yn gyntaf fel cawl ac yna'r llysiau a'r cig fel prif gwrs. Ei fwyta i gyd efo'i gilydd y byddwn ni fel teulu bellach, ac fe fyddaf yn ychwanegu twmplenni sawrus ato i'w wneud yn bryd mwy sylweddol. Mae hwn yn bryd handi i'w wneud y diwrnod cynt, a'i roi yn yr oergell dros nos—maent yn dweud nad oes unpeth yn well na chawl eildwym gan fod y gwahanol flasau yn cael amser i gymysgu gyda'i gilydd. Mae'n anodd rhoi rysáit pendant i'r math yma o saig ond fe roddaf syniad ichi beth fyddaf i yn ei roi yn y cawl. Rwyf yn ei wneud yn fy sosban frys ond nid wyf yn ei goginio o dan bwysau.

CYNHWYSION

1 pwys/400 gram cig eidion (y math y gellwch ei goginio'n araf—ond dewiswch y gorau—heb lawer o fraster)
4 cenhinen
2 nionyn canolig
3 moronen fawr
1 banasen
oddeutu 4 owns/100 gram rwden
2 ddeilen bresych
2 goesyn helogan
6 thaten wedi eu torri'n weddol fras
1 llond llwy fwrdd o bersli ffres wedi ei dorri'n fân
1 ddeilen llawryf
1 pinsiad go dda o berlysiau cymysg sych
3 pheint stoc neu ddŵr
pupur a halen

Cynhwysion y Twmplenni Sawrus

4 owns/100 gram blawd codi gwyn
2 owns/50 gram o siwed (wedi ei falu)
1 llond llwy de o berlysiau cymysg sych
dŵr i gymysgu

DULL

1. Torri unrhyw fraster oddi ar y cig ac yna ei dorri'n giwbiau gweddol fach—byddaf i yn defnyddio siswrn cegin i dorri'r math yma o gig.
2. Glanhau, tynnu croen a thorri'r llysiau i gyd—does dim angen eu torri'n rhy fân.
3. Rhoi'r cig a'r llysiau yn y sosban a'u cymysgu'n dda.
4. Ychwanegu'r persli, y perlysiau cymysg a'r ddeilen llawryf.
5. Arllwys y stoc neu'r dŵr dros y llysiau a'r cig ac ychwanegu ychydig o bupur a halen.
6. Berwi'r cawl yn araf am 2 awr. Fe fydd y llysiau yn feddal a'r cig yn frau iawn. Ei brofi rhag ofn fod angen mwy o bupur a halen.
7. Yn y cyfamser rhaid paratoi'r twmplenni sawrus.
   a) Dodi'r cynhwysion sych mewn powlen.
   b) Ychwanegu digon o ddŵr i wneud toes gweddol feddal ond nid un sy'n glynu.
   c) Dylai'r cymysgedd wneud 8 twmplen.
   ch) Dodi'r twmplenni *(gan ddefnyddio llwy)* ar ben y cawl a choginio'r cwbl am ugain munud arall.
8. Gweinir mewn powlenni cynnes gyda bara ac mae rhai yn ychwanegu caws wedi ei ratio.

Rwy'n cofio mynd i Ŵyl Gawl gyda Chlwb Ffermwyr Ifainc Llanwinio erstalwm a bwyta'r cawl allan o bowlenni cawl pren gyda llwyau pren arbennig.

GEIRFA

Cawl cennin—*leek broth* Twmplenni—*dumplings* Sawrus—*savoury* Rysáit—*recipe*
Saig—*dish* Sosban frys—*pressure cooker* O dan bwysau—*under pressure* Cig eidion—*beef*
Braster—*fat* Cenhinen—*leek* Nionyn—*onion* Moronen—*carrot* Panasen—*parsnip*
Rwden—*swede* Bresych—*cabbage* Deilen—*leaf* Helogan—*celery* Taten—*potato*
Persli—*parsley* Deilen llawryf—*bay leaf* Perlysiau cymysg—*mixed herbs* Siwed—*suet*
Blawd codi—*self-raising flour* Siswrn cegin—*kitchen scissors* Arllwys—*pour* Brau—*tender*
Ychwanegu—*add*

52. Tatws Pum Munud

digon i deulu o 5

DYMA saig sydd yn boblogaidd gan fy mhlant ond nid wyf yn sicr o ble daeth yr enw gan ei fod yn cymryd tipyn mwy na phum munud i'w baratoi a'i goginio. Pryd syml, rhad oedd yn cael ei wneud i swper chwarel yn ardal chwareli Arfon ydyw. Cinio hwyr rhwng 5.30 a 6.00 oedd swper chwarel, a hwnnw'n cael ei baratoi, gan mai brechdanau yn unig yr oedd y chwarelwyr yn eu bwyta amser cinio canol dydd. Treuliais oriau difyr yn gwrando ar fy nhad yn adrodd storïau am ei gyfnod yn Chwarel Dinorwig a'i ymdrechion i goginio nionod a thatws trwy'u crwyn ar ben yr hen dân caeedig yn y caban bwyta. Mae gennyf gof hefyd amdanaf fi a'm ffrindiau yn mynd i gyfarfod â'r dynion gyda'r nos ar hyd y ffordd ac yn cael sbarion o'r tuniau bwyd cyn cyrraedd gartref. Tun *Oxo* coch oedd gan y rhan fwyaf ohonynt i ddal eu brechdanau. Cyflog bach iawn oedd cyflog y chwarelwr cyffredin, felly roedd rhaid i'r pryd nos fod yn faethlon ac yn rhad, yn ogystal ag yn un oedd yn llenwi.

CYNHWYSION

3 phwys/120 gram tatws (rhai nad ydynt yn coginio'n ddyfrllyd)
2 nionyn canolig
2 foronen ganolig
12 owns/600 gram cig moch brith
dŵr neu stoc
pupur a halen

DULL

1. Plicio a thorri'r tatws yn haenau tenau, a'u gorchuddio gyda dŵr oer rhag iddynt droi'n frown.
2. Plicio a thorri'r moron yn gylchoedd.
3. Tynnu'r croen a thorri'r nionyn yn weddol fân.
4. Tynnu'r croen allanol oddi ar y cig moch a thorri pob darn yn ddau. Weithiau byddaf yn defnyddio cig moch wedi ei fygu.
5. Mewn padell ffrio ddofn, gosodwch haenau o'r tatws, y moron a'r nionod gan ychwanegu mymryn o bupur a halen i bob haen. Gwnewch yn sicr mai haen o datws sydd ar yr wyneb.
6. Arllwys digon o ddŵr neu stoc i gyrraedd yr haen datws uchaf.

7. Gosod y cig moch yn stribedi ar wyneb y tatws.
8. Rhoi'r badell ar ben y ffwrn a dechrau twymo'r saig ar wres uchel. Pan fydd yn berwi, troi'r gwres i lawr a gadael i'r bwyd ffrwtian yn araf am hanner awr neu fwy, heb gaead arno. Erbyn hyn, fe fydd y llysiau yn feddal a'r rhan helaethaf o'r hylif wedi ei amsugno neu ei ageru.
9. Gweinir y tatws pum munud gydag unrhyw lysiau ychwanegol. Byddaf fel arfer yn ei weini gyda bresych neu flodfresych gaeaf.

GEIRFA

Tatws pum munud—*five minute potatoes* Swper chwarel—*quarryman's supper* Caban bwyta—*canteen*
Cig moch brith—*streaky bacon* Cylchoedd—*circles* Croen allanol—*rind*
Cig moch wedi ei fygu—*smoked bacon* Ffrwtian—*simmer* Amsugno—*absorb*
Ageru—*evaporate* Bresych—*cabbage* Blodfresych gaeaf—*broccoli*

53. Iau a Stwns Rwden

DYMA bryd arall a oedd yn cael ei wneud yn gyson i swper chwarel yn ardal chwareli Arfon. Roedd iau yn faethlon ac yn rhad i'w brynu erstalwm.

CYNHWYSION

1 pwys/800 gram iau oen
1 nionyn mawr
lard, menyn neu olew i goginio
pupur a halen
2 lond llwy fwrdd o flawd gwyn plaen
ychydig o ddŵr oer
1½ llond llwy de o liwiwr grefi
3 phwys o datws
1 pwys rwden
ychydig o fenyn a llefrith

DULL

1. Torri'r iau yn haenau tenau iawn a rhoi pupur a halen arnynt. Eu ffrio ar wres uchel am oddeutu munud a hanner bob ochr. Mae'n bwysig peidio â gorgoginio iau neu mae'n caledu.
2. Tynnu'r iau allan o'r badell a'i roi ar blât o'r neilltu.
3. Tynnu'r croen a thorri'r nionyn yn weddol fân a'i ffrio yn saim yr iau ar wres isel nes iddo feddalu.
4. Yn y cyfamser plicio'r tatws a'r rwden a'u rhoi gyda'i gilydd mewn sosbanaid fawr o ddŵr. Ychwanegu halen. Mae'n well torri'r rwden yn dameidiau llai na'r tatws oherwydd cymer fwy o amser i goginio. Berwi'r llysiau am oddeutu 25 munud nes iddynt feddalu.
5. Hidlo'r llysiau yn drwyadl ond cadw'r dŵr coginio.
6. Stwnsio'r tatws a'r rwden gydag ychydig o lefrith a menyn gan wneud yn siŵr nad oes lympiau yn y cymysgedd o gwbl. Yr wyf yn hoffi ychwanegu ychydig o bupur du i'r stwns rwdan. Gellir ychwanegu pinsiad o nytmeg hefyd. Cadw'r stwns yn gynnes i chi gael amser i baratoi'r grefi.
7. Cael gwared o'r saim i gyd o'r badell nionod—ar wahân i lond dwy lwy fwrdd ohono.
8. Ychwanegu'r blawd a'i gymysgu'n dda gyda llwy bren. Byddaf yn

ychwanegu dŵr oer i wneud past gweddol dew. Mae chwisg swigen yn declyn da i gael gwared o unrhyw lympiau.

9. Byddaf yn defnyddio ¾ peint/450 ml o stoc cig eidion a ¾ peint/450 ml o ddŵr coginio'r llysiau a'i ychwanegu yn araf i'r cymysgedd blawd oddi ar y gwres. Byddaf yn ei chwisgio drwy'r amser. Ychwanegu'r lliwiwr grefi.
10. Rhoi'r badell efo'r grefi nionod ar wres cymedrol a'i chwisgio drwy'r amser nes iddo ferwi. Os yw'r grefi yn rhy dew, ychwanegwch ychydig mwy o'r dŵr llysiau. Rhoi'r iau yn y grefi am ychydig funudau er mwyn iddo gynhesu drwyddo.
11. Byddaf yn gweini moron gyda'r pryd yma ac yn cadw eu dŵr coginio hwythau hefyd i'w roi yn y grefi.
12. Gan nad yw fy mhlant yn rhy hoff o iau, rwyf yn paratoi yr un pryd gan ddefnyddio selsig.
    a) Coginio'r selsig am ychydig mewn olew.
    b) Eu rhoi i orffen coginio yn y ffwrn.
    c) Ffrio'r nionyn yn yr un modd i wneud y grefi.
    ch) Gweinir y selsig gyda stwns rwden, moron a grefi nionod—pryd blasus canol wythnos.

GEIRFA

Iau—*liver* Iau oen—*lambs' liver* Stwns rwden—*potato and swede mash* Maethlon—*nutritious* Nionyn—*onion* Blawd gwyn plaen—*plain white flour* Lliwiwr grefi—*gravy browning* Tatws—*potatoes* Rwden—*swede* Haenau tenau—*thin slices* Ffrio—*fry* O'r neilltu—*to one side* Yn y cyfamser—*in the meantime* Llysiau—*vegetables* Hidlo—*strain* Stwnsio—*mash* Saim—*fat* Llwy bren—*wooden spoon* Past—*paste* Stoc cig eidion—*beef stock* Chwisgio—*whisk* Gwres cymedrol—*medium heat* Selsig—*sausages* Ffwrn—*oven*

Ym Mhen Llŷn nid yw stwns rwden yn golygu'r un peth, yn ôl yr hyn a ddeallais pan oeddwn yn rhedeg Caffi Meinir yng Nghanolfan Iaith Nant Gwrtheyrn. Cymysgedd o foron a rwden wedi eu stwnsio gyda'i gilydd yw eu stwns rwden hwy. Mae'n ddiddorol gweld y gwahaniaethau mewn ryseitiau o ardal i ardal. Yr oedd fy nhaid, a oedd yn hanu o Sir Fôn, yn bwyta stwns ffa, ond nid wyf mor hoff o'r saig honno.

54. Cinio Spageti Sydyn gyda Bara Garlleg

digon i 4

DYMA rysáit sydd wedi datblygu dros y blynyddoedd a sydd yn un o ffefrynnau fy nheulu. Gellir ei baratoi o flaen llaw a'i gynhesu pan fydd ei angen—defnyddiol iawn os oes eisiau pryd ar frys.

CYNHWYSION

1½ pwys/600 gram briwgig eidion
2 nionyn canolig
1 tun mawr o domatos wedi eu malu
1 neu 2 ddarn garlleg (dibynnu ar faint o flas garlleg yr ydych yn ei hoffi)
2 owns/50 gram menyn
1 llond llwy de o oregano
1 llond llwy de o fasil
3 llond llwy fwrdd sôs coch *(ketchup)*
½ llond llwy de o halen
8 owns/200 gram spageti sych
4 owns/100 gram caws wedi ei ratio (unrhyw gaws caled, cryf ei flas)

DULL

1. Tynnu croen a thorri'r nionyn yn fân, tynnu croen y darnau garlleg a'u torri'n fân iawn neu eu gwasgu drwy declyn arbennig ar gyfer y gwaith. Eu ffrio yn y menyn ar wres isel am oddeutu 5 munud. Byddant yn feddal ond heb droi eu lliw.
2. Ychwanegu'r briwgig a chodi'r gwres ychydig iddo goginio yn weddol sydyn. Defnyddiwch fforc i gymysgu'r cynhwysion fel nad yw'r cig yn hel mewn talpiau.
3. Ychwanegu'r tomatos o'r tun, yr oregano, basil, sôs coch a'r halen.
4. Gadael i'r cymysgedd ferwi'n araf am oddeutu hanner awr. Fe fydd rhan helaeth o'r hylif wedi ageru.
5. Yn y cyfamser, llenwi'r sosban fwyaf sydd gennych gyda dŵr, ychwanegu 1 llond llwy de o halen ac 1 llond llwy fwrdd o olew llysiau—mae hwn yn rhwystro'r spageti rhag glynu yn ei gilydd.

6. Pan fydd y dŵr yn berwi rhowch y spageti ynddo *(wedi ei dorri yn ddarnau o rhyw 2 neu 3 modfedd)* a gadael iddo goginio'n sydyn nes y bydd yn barod. Mae hyn yn cymryd oddeutu 10 munud—dylai'r spageti fod yn feddal ond heb ei orgoginio. Maent yn dweud mai'r ffordd i brofi a yw pasta'n barod yw ei daflu ar y wal—os yw'n glynu wrthi, mae yn barod! Nid wyf yn siŵr a yw hwn yn syniad da neu beidio!
7. Rhoi'r spageti drwy hidlen ac yna ei roi'n ôl yn y sosban. Tywallt y cymysgedd cig dros y spageti a'i gymysgu'n drylwyr gyda llwy. Yna ei roi mewn dysgyl addas i'w rhoi yn y ffwrn.
8. Dodi'r caws wedi'i ratio dros y cymysgedd a gorchuddio'r ddysgl—mae hyn yn cadw'r caws yn feddal. Gellir ei gadw yn yr oergell os nad ydych eisiau ei fwyta'n syth.
9. Ei roi yn y ffwrn *(nwy 6/200°C)* am oddeutu 20 munud.
10. Gweinir y spageti gyda bara garlleg a salad tomato *(rysáit rhif 44)*.

GEIRFA

Briwgig eidion—*minced beef* Garlleg—*garlic* Sôs coch—*tomato ketchup*
Spageti sych—*dried spaghetti* Ageru—*evaporate* Hidlen—*colander* Bara garlleg—*garlic bread*

Bara Garlleg

Mae'n bosibl prynu bara garlleg wedi ei baratoi'n barod o'r oergell neu wedi ei rewi. Rwyf yn hoff iawn o'r math newydd sydd ar y farchnad bellach—y math fflat tebyg i pizza. Braidd yn ddrud ydyw i'w brynu, felly os ydych am baratoi bara garlleg eich hun, dyma'r rysáit.

CYNHWYSION

1 torth Ffrengig *(baguette)*
4 owns/100 gram menyn
1 llond llwy de o oregano
2 damaid o arlleg
pinsiad o halen

DULL

1. Torri drwy'r bara ar ei hyd ond peidiwch a thorri drwodd yn gyfan gwbl.
2. Meddalu'r menyn ychydig a chymysgu'r oregano, y garlleg wedi ei wasgu a'r halen iddo.
3. Taenu ¾ y cymysgedd menyn y tu mewn i'r dorth a thaenu'r gweddill dros ben y dorth ar ôl ei chau i fyny.
4. Lapio'r dorth mewn papur gloyw a'i rhoi mewn ffwrn boeth am oddeutu 10 munud.
5. Gweinir y bara yn boeth wedi ei dorri'n ddarnau.

55. Lasagne Llysiau

ER NAD wyf yn llysieuwraig, rwyf yn hoffi'r saig yma ac rwy'n credu ei bod yn ysgafnach ar y stumog na'r un sy'n cynnwys cig—yn enwedig os oes rhaid bwyta pryd sylweddol ganol dydd.

CYNHWYSION

2 bwys/800 gram llysiau amrywiol e.e. nionod, cennin, madarch, moron, blodfresych, pupur coch neu wyrdd, helogan, courgettes, ffa Ffrengig (Nid oes angen y rhain i gyd wrth gwrs.)
2 ddarn o arlleg
1 tun o domatos wedi eu malu
1 tun o Ratatouille
1 llond llwy de o oregano
1 llond llwy de o fasil
2 lond llwy fwrdd o sôs coch *(ketchup)*
1 llond llwy de o halen ac ychydig o bupur du
¼ peint/150 ml dŵr
2 owns/50 gram menyn
oddeutu 9 darn lasagne sych (Er fy mod yn defnyddio'r math nad oes angen ei ferwi, yr wyf yn ei ferwi mewn sosbanaid fawr o ddŵr am oddeutu 1 munud.)
1 peint/600 ml saws gwyn sawrus (rysáit rhif 5)
4 owns/100 gram Caws Teifi, Caws Llŷn neu unrhyw gaws caled cryf ei flas

DULL

1. Glanhau, plicio a thorri'r llysiau yn gymharol fân.
2. Ffrio'r llysiau yn y menyn dros wres isel am oddeutu pum munud—byddaf yn defnyddio padell ffrio ddofn i'r gwaith yma.
3. Ychwanegu'r tomatos a'r *Ratatouille* o'r tuniau, a'r oregano, basil, sôs coch, halen, y pupur a'r dŵr hefyd.
4. Berwi'r cyfan yn araf gyda chaead arno am oddeutu 30 munud. Mae angen troi'r cymysgedd gyda llwy, hanner ffordd drwy'r amser coginio rhag iddo lynu ar waelod y badell.
5. Tynnu'r caead a gadael i'r cymysgedd ferwi'n gyflym am oddeutu 5 munud i gael gwared ar y rhan helaethaf o'r hylif.
6. Yn y cyfamser paratoi'r *lasagne* sych gan ei ferwi am oddeutu 1 munud *(os yw wedi ei goginio'n barod)*. Byddaf i yn ei roi wedyn ar bapur glynu ac yn rhoi papur glynu drosto hefyd. Mae hyn yn ei arbed rhag sychu a chrimpio.

7. Tra mae'r llysiau yn coginio, bydd angen paratoi'r saws gwyn sawrus. Dodwch bapur glynu ar ei wyneb rhag iddo groeni.
8. Iro dysgl addas i'w rhoi yn y ffwrn a rhoi haen o ddarnau *lasagne* ar y gwaelod. Tywallt hanner y cymysgedd llysiau, yna haen arall o basta, gweddill y llysiau ac yna haen o basta i orchuddio'r cymysgedd llysiau.
9. Gorchuddio'r pasta gyda'r saws gwyn sawrus a gratio'r caws ar ei ben. Os ydych yn wir lysieuwr, defnyddiwch Gaws Teifi gan eu bod yn defnyddio *rennet* llysieuol i wneud y caws.
10. Byddaf yn gorchuddio'r *lasagne* cyn ei roi i gynhesu trwyddo yn y ffwrn *(nwy 6-7/200°C)* am 20 munud. Gellir paratoi'r *lasagne* ymlaen llaw a'i aildwymo rai oriau yn ddiweddarach. Os felly, bydd angen ei roi yn y ffwrn am oddeutu 35 munud.
11. Gweinir y *lasagne* gyda bara garlleg a bwydlys gwyrdd *(rysáit rhif 42)*.

GEIRFA

Lasagne llysiau—*vegetable lasagne* Saig—*dish* Llysiau amrywiol—*variety of vegetables*
Garlleg—*garlic* Saws gwyn sawrus—*savoury white sauce* Cymharol fân—*fairly small*
Padell ffrio—*frying pan* Cymysgedd—*mixture* Glynu—*stick* Yn y cyfamser—*in the meantime*
Papur glynu—*cling film* Iro—*grease* Tywallt—*pour* Gorchuddio—*cover*
Bara garlleg—*garlic bread* Bwydlys gwyrdd—*green salad*

56. Plethen Selsig

digon i 6

DYMA saig y gellir ei gweini yn boeth neu yn oer. Mae yn boblogaidd gan y plant ac ychydig yn wahanol i roliau selsig cyffredin.

CYNHWYSION

paced o grwst haenog wedi ei brynu (13 owns/310 gram)
1 pwys/400 gram selsig porc (neu gig selsig)
4 owns/100 gram nionod
4 owns/100 gram afalau coginio
1 llond llwy de o saets wedi ei sychu

DULL

1. Rholio'r crwst yn siâp hirsgwar tenau.
2. Tynnu'r croen oddi ar y selsig gan redeg cyllell finiog i lawr un ochr—mae'r croen yn dod i ffwrdd yn hawdd. Rhoi'r cig selsig mewn powlen.
3. Tynnu croen y nionod a'r afalau a'u malu'n fân *(byddaf yn defnyddio prosesydd bwyd i wneud hyn)*. Eu rhoi yn y bowlen gyda'r cig selsig ac ychwanegu'r saets i'r cynhwysion eraill.
4. Byddaf yn defnyddio fy nwylo i gymysgu'r cynhwysion gyda'i gilydd, er y gellir defnyddio fforc i wneud y gwaith.
5. Dodi'r cymysgedd selsig mewn llinell hir ar hyd canol y crwst haenog.
6. Torri'r crwst tuag at y cymysgedd selsig fel yn y darlun.
7. Defnyddio'r darnau crwst wedi eu torri i blethu dros wyneb y selsig a defnyddio ychydig o ddŵr i sicrhau eu bod yn glynu yn y canol. Troi drosodd y darnau crwst ar y ddau ben.
8. Rhoi llefrith dros wyneb y crwst gyda brws crwst.
9. Coginio'r blethen selsig mewn ffwrn boeth *(nwy 6/200°C)* am 30-35 munud hyd nes y bydd y crwst wedi troi'n frown. Byddaf yn hoffi coginio'r bleth ar hambwrdd oeri *(gyda thyllau ynddo)* dros dun coginio fel bo'r saim yn gollwng i'r tun ac nad oes rhaid i'r blethen orwedd ynddo. Mae hyn yn help i'r crwst goginio oddi tano'n well.
10. Gweinir y blethen yn boeth neu yn oer.

GEIRFA

Selsig—*sausage* Crwst haenog—*flaky pastry* Nionod—*onions* Afalau coginio—*cooking apples* Saets—*sage* Hirsgwar—*rectangular* Prosesydd bwyd—*food processor* Plethu—*plait* Glynu—*stick* Hambwrdd oeri—*cooling tray*

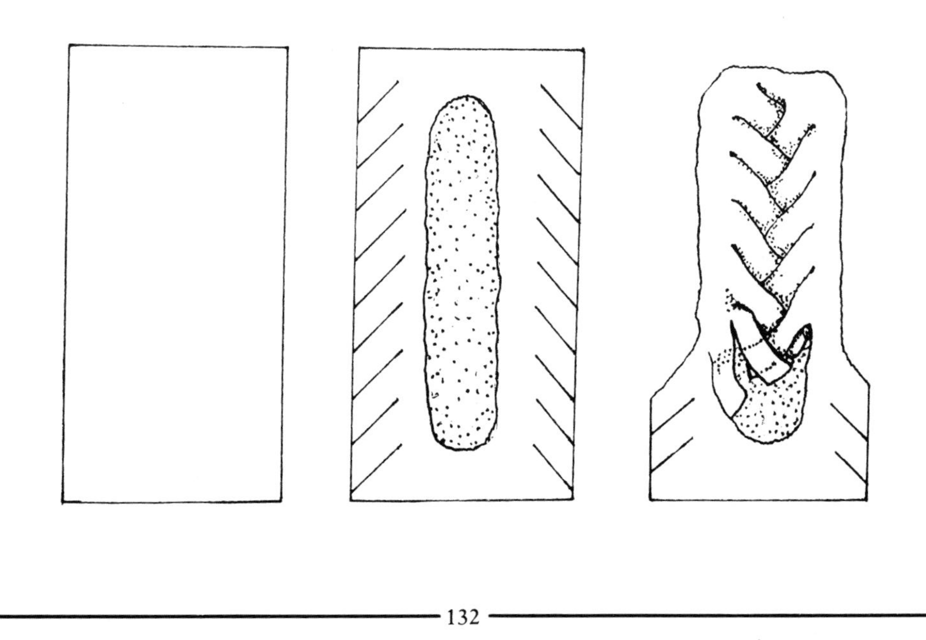

57. Penwaig Nefyn '89

GAN fy mod yn byw yn Nefyn, teimlais fod rhaid imi greu rysáit a oedd yn defnyddio penwaig gan fod penwaig Nefyn wedi bod mor enwog:-

'Penwaig Nefyn, Penwaig Nefyn,
'U cefna fel cefna hen ffarmwrs
A'u bolia fel bolia tafarnwrs—
penwaig ffres.'

Yr oeddynt, medden nhw, yn benwaig mawr braf, ond fe ddaeth y dydd pan ddiflannodd y penwaig oherwydd eu gor-bysgota. Serch hynny, mae eu holion yn Nefyn o hyd: Gwesty'r Tri Phennog yn Stryd y Ffynnon, bathodyn y tri phennog ar wisg ysgol gynradd y pentref a hefyd bathodyn y clwb golff lleol, a cheiliog y gwynt yn dangos y penwaig ar ben hen Neuadd Madryn.

Mae stori fach ddifyr yn egluro pam y diflannodd y penwaig o'r ardal. Pan oedd gormodedd o benwaig ar gael, defnyddiwyd hwy gan ffermwyr yr ardal fel gwrtaith i'r tir. Fe bwdodd y penwaig a nofio i ffwrdd—neu dyna beth maen nhw'n ei ddweud!

CYNHWYSION—digon i 4

4 pennog gweddol fawr neu 6 o rai bach

Stwffin

4 owns/100 gram briwsion bara gwyn ffres
2 sibolsen
croen 1 grawnffrwyth wedi ei ratio'n fân
½ llond llwy de o berlysiau cymysg
1 wy

Saws

menyn i goginio
pupur a halen
croen 1 grawnffrwyth wedi ei ratio'n fân
1 sibolsen
½ owns/13 gram menyn

sudd 2 rawnffrwyth
3 llond llwy fwrdd o win sinsir
2 lond llwy fwrdd o siwgr demerara

DULL

1. Glanhau'r penwaig, torri eu pennau i ffwrdd a thynnu'r esgyrn fel yn rysáit rhif 24.
2. Gwneud y briwsion bara *(gellir defnyddio prosesydd bwyd i wneud hyn).*
3. Torri'r sibols yn fân a'u rhoi gyda'r briwsion bara mewn powlen.
4. Gratio croen 1 grawnffrwyth a'i roi yn y bowlen gyda'r perlysiau cymysg ac ychydig o bupur a halen.
5. Curo'r wy mewn powlen fach a'i ychwanegu at gymysgedd y stwffin. Cymysgu'r cynhwysion i gyd yn dda.
6. Ffurfio siapiau hir o'r stwffin gyda'r dwylo a'u rhoi ar hyd canol y pysgod. Cau'r pysgod i fyny gan ddefnyddio priciau coctel i'w cadw rhag ailagor.
7. Rhoi'r pysgod wrth ymyl ei gilydd mewn dysgl addas i'w rhoi yn y ffwrn. Taenellu ychydig o bupur a halen drostynt. Rhoi dau lwmp bach o fenyn ar bob pysgodyn.
8. Eu gorchuddio â phapur gloyw a'u coginio am oddeutu 30 munud *(nwy 4/170°C).*
9. Yn y cyfamser gwneud y saws:
   a) Ffrio'r sibolsen wedi ei thorri'n fân mewn ½ owns/13 gram o fenyn ar wres isel nes iddi feddalu.
   b) Ychwanegu'r croen grawnffrwyth, sudd grawnffrwyth, gwin sinsir a'r siwgr demerara.
   c) Troi'r gwres i fyny a berwi'r saws yn dda nes iddo leihau i'w hanner.
10. Gweinir y pysgod *(ar ôl tynnu'r priciau coctel)* gyda'r saws wedi ei dywallt oddi amgylch.
11. Gellir eu haddurno â segmentau o rawnffrwyth a sibols *(Eu torri i oddeutu 4 modfedd/12 cm, yna torri i lawr y darnau gwyrdd sawl gwaith ond peidiwch â thorri i waelod y darn gwyn. Eu rhoi wedyn mewn dŵr oer gyda lympiau o rew ynddo a'u gadael am o leiaf 1 awr—yn yr amser yma bydd y darnau a dorrwyd wedi crychu a byddant yn addurniadau tlws.)*

GEIRFA

Penwaig--*herrings* Gor-bysgota—*over fishing* Olion—*traces* Bathodyn—*badge*
Diflannu— *disappear* Gwrtaith—*fertilizer* Briwsion bara gwyn—*white breadcrumbs*
Sibolsen—*spring onion* Grawnffrwyth—*grapefruit* Perlysiau cymysg—*mixed herbs*
Gwin sinsir—*ginger wine* Siwgr demerara—*demerara sugar* Esgyrn—*bones* Gratio—*grate*
Curo—*beat* Wy—*egg* Pysgod—*fish* Priciau coctel—*cocktail sticks* Taenellu—*sprinkle*
Croen—*rind* Sudd—*juice* Lleihau—*reduce* Segmentau—*segments* Addurno—*garnish* Crychu—*curl*

58. Tarten Ffrwythau

YR YDYM ni fel Cymry yn hoff iawn o darten ffrwythau. Mewn rhai ardaloedd yn y gogledd fe'i gelwir yn gacen blât.

CYNHWYSION

8 owns/200 gram crwst brau (rysáit rhif 1)
1½ pwys/600 gram o unrhyw ffrwyth addas, e.e. afalau, eirin, eirin Mair, riwbob, mafon, bricyll, cwrens duon, llus, mwyar duon (Roedd mam i ffrind i mi o Lanelli yn gwneud tarten eirin gwlanog fendigedig.)
oddeutu 4 owns/100 gram siwgr mân (yn dibynnu ar surni'r ffrwythau)

DULL

1. Rholio oddeutu hanner y toes a'i roi ar blât mawr a thorri'r gweddillion i ffwrdd gyda chyllell finiog. Byddaf yn defnyddio plât enamel gan fod y crwst gwaelod yn coginio yn llawer gwell ar blât metel.
2. Tynnu'r croen oddi ar y ffrwyth os oes angen a thynnu unrhyw gerrig cyn ei dorri'n ddarnau addas. Dodi'r ffrwyth ar y crwst gwaelod. Ychwanegu'r siwgr. Mae rhai pobl yn hoffi stiwio'r ffrwyth yn gyntaf ond gwell gennyf fi ei goginio'n araf yn y crwst. Credaf fod gwell ansawdd i'r darten fel hyn.
3. Rholio'r ail ddarn o does a'i roi i orchuddio'r ffrwyth. Rhoi ychydig o ddŵr o amgylch yr ymylon er mwyn i'r ddau ddarn o does lynu wrth ei gilydd. Eto mae angen torri gweddillion y crwst gyda chyllell finiog. Gwell gwasgu'r ymylon at ei gilydd gyda blaen y bawd.
4. Torri twll yn wyneb y darten i adael i'r stêm ddod allan, a byddaf i yn brwsio wyneb y darten gyda dŵr ac ychydig o siwgr mân.
5. Coginio'r darten *(nwy 4/160°C)* am oddeutu 40 munud. Rhaid gofalu bod y ffrwyth wedi coginio'n llwyr. Os yw wyneb y darten yn gor-grasu cyn i'r ffrwyth feddalu, gorchuddiwch hi â phapur gloyw.
6. Gweinir yn oer neu yn boeth gyda chwstard, hufen ffres neu hufen iâ.

GEIRFA

Tarten ffrwythau—*fruit tart* Crwst brau—*shortcrust pastry* Ffrwyth addas—*suitable fruit*
Afalau—*apples* Eirin—*plums* Eirin Mair—*gooseberries* Riwbob—*rhubarb* Mafon—*raspberries*
Bricyll—*apricots* Eirin gwlanog—*peaches* Mwyar duon—*blackberries* Cwrens duon—*blackcurrants*

Llus—*whinberries* Siwgr mân—*caster sugar* Surni—*tartness* Rholio—*roll out*
Toes—*dough* Gweddillion—*remains* Gor-grasu—*overcook* Papur gloyw—*kitchen foil*
Cwstard—*custard* Hufen ffres—*fresh cream* Hufen iâ—*ice cream*

AWGRYM

Gellir ychwanegu rhai cynhwysion eraill i wneud tarten fwy diddorol.

a) Defnyddio afalau a mwyar duon gyda'i gilydd.
b) Defnyddio afalau a mafon gyda'i gilydd.
c) Rhoi ychydig o groen oren wedi ei ratio'n gymysg â riwbob.
ch) Dodi 2 lond llwy fwrdd o farmalêd sinsir ar waelod tarten riwbob.
d) Defnyddio mafon ac eirin gwlanog gyda'i gilydd.
dd) Gratio ychydig o groen lemwn yn fân a'i ychwanegu at darten lus er mwyn tynnu'r blas allan yn gryf.

59. Crymbl Ffrwythau

MAE'N rhaid fod cinio ysgol wedi gwella gan fod fy mhlant yn gofyn am grymbl fel y maent yn ei gael yn yr ysgol! Gellir defnyddio'r un ffrwythau ag a ddefnyddir i wneud tarten ffrwythau *(rysáit rhif 58)* ond y tro hwn byddaf yn stiwio'r ffrwythau yn gyntaf, rhag i'r crymbl or-goginio cyn i'r ffrwyth feddalu'n gyfan gwbl.

CYNHWYSION

1½ pwys ffrwythau
4 owns/100 gram siwgr mân
6 owns/150 gram blawd gwyn plaen
3 owns/75 gram menyn neu fargarîn
3 owns/75 gram siwgr gwyn neu siwgr brown meddal

DULL

1. Stiwio'r ffrwyth mewn ychydig o ddŵr nes iddo feddalu ac yna ychwanegu'r 4 owns/100 gram siwgr. Gwell profi'r ffrwyth rhag ofn fod angen mwy o siwgr.
2. Rhoi'r ffrwyth mewn dysgl wedi ei hiro â menyn.
3. Dodi'r blawd, y margarîn neu fenyn a'r 3 owns/75 gram siwgr mewn powlen gymysgu a'u rhwbio gyda'i gilydd gan ddefnyddio bysedd nes y bydd y cymysgedd yn edrych fel briwsion bara. *(Gellir defnyddio'r prosesydd bwyd i wneud hyn.)*
4. Rhoi'r cymysgedd crymbl dros y ffrwyth a'i goginio ar nwy 6/200°C am 10 munud ac yna troi'r popty i lawr i nwy 4/160°C am 15 munud arall. Gwnewch yn siŵr nad yw wyneb y crymbl yn troi yn rhy frown.
5. Gweinir y pwdin yn boeth gyda chwstard, hufen ffres neu hufen ia.

GEIRFA

Crymbl—*crumble* Stiwio—*stew* Blawd gwyn plaen—*plain white flour* Menyn—*butter*
Margarîn—*margarine* Siwgr gwyn—*white sugar* Siwgr brown meddal—*soft brown sugar*
Iro—*grease* Rhwbio—*rub* Briwsion bara—*breadcrumbs* Prosesydd bwyd—*food processor*
Cymysgedd—*mixture*

60. Teisen Planc

digon i 4

YR OEDDWN yn ffodus i gael mam o dde Cymru a thad o'r gogledd, oherwydd rwyf wedi etifeddu stôr o ryseitiau teuluol o'r ddwy ran o'r wlad. Dyma un o ryseitiau Nain Caerdydd a oedd yn dipyn o gogyddes ac wrth ei bodd yn trio ryseitiau newydd. Roedd Nain yn defnyddio mwyar duon ffres fel llenwad i'r deisen ac roedd hi rywsut yn gallu gwneud un fawr a'i throi hi drosodd heb ei thorri. Mae'n amlwg nad wyf fi wedi etifeddu'r ddawn honno, felly rwyf yn gwneud pedair o rai bach er mwyn imi allu eu troi drosodd heb iddynt dorri yn eu hanner. Gellir defnyddio unrhyw ffrwyth fel llenwad a gellir ei stiwio yn gyntaf os dymunir.

CYNHWYSION

4 owns/100 gram crwst brau (rysáit rhif 1)
1 pwys/800 gram o unrhyw ffrwyth addas, yn amrwd neu wedi ei stiwio
4 owns/100 gram siwgr (Bydd eisiau ychydig mwy os ydych yn defnyddio ffrwythau sur iawn.)

DULL

1. Torri'r toes yn bedwar a rholio'r darnau allan yn gylchoedd tenau *(gellwch ddefnyddio soser i gael y siâp).*
2. Rhoi'r ffrwyth a'r siwgr ar un ochr i'r cylch.
3. Gwlychu ymylon y cylch â dŵr a phlygu'r hanner gwag dros yr hanner sy'n cynnwys y ffrwythau. Gwasgu'r crwst o amgylch y ffrwyth rhag iddo agor.
4. Rhoi'r teisennau ar radell (planc) boeth wedi ei hiro â menyn neu lard. Maent yn cymryd oddeutu 10 munud bob ochr i grasu. *(Roeddwn yn hoff o'r darnau wedi eu gor-grasu ar rai Nain ond nid ydwyf yn argymell i chi losgi'r teisennau!)*
5. Am ryw reswm nid oedd Nain yn rhoi'r siwgr gyda'r ffrwythau i goginio, ond yn rhedeg cyllell ar hyd y deisen a chodi'r caead pan oedd yn dal yn boeth ac yna ychwanegu'r siwgr. Roedd hi hefyd yn rhoi siwgr mân ar y tu allan i'r crwst. Er eich bod yn defnyddio'r un cynhwysion ag i wneud tarten nid yw'r blas yn ddim byd tebyg.
6. Gellir gweini'r deisen gyda hufen neu gwstard ond gwell gennyf fi ei bwyta ar ei phen ei hun.

GEIRFA

Mwyar duon—*blackberries* Llenwad—*filling* Crwst brau—*shortcrust pastry* Amrwd—*raw*
Sur—*tart* Toes—*dough* Rholio—*roll out* Cylchoedd—*circles* Radell/planc—*bakestone or griddle*

61. Pwdin Reis

digon i 6

PAN oeddwn yn aros yn nhŷ fy ffrind ysgol ar fferm yn Llangynog ger Caerfyrddin, sylweddolais fod rhywbeth arbennig am bwdin reis ei mam. Yr oedd ei liw yn gyfoethog a'i flas yn fendigedig. Mae'n amlwg fod gennyf ddiddordeb mawr mewn bwyd hyd yn oed yr amser hwnnw ac fe gefais wybod y gyfrinach—syrup.

CYNHWYSION

2 beint o lefrith
3 owns/75 gram reis pwdin
2-3 owns/50-75 gram siwgr mân
2 lond llwy fwrdd syrup melyn
lwmp bach o fenyn

DULL

1. Rhoi'r reis, y llefrith, y menyn a'r siwgr mewn dysgl addas i'w rhoi yn y ffwrn.
2. Coginio'r pwdin yn araf heb gaead *(nwy 2-3/150°C)* am 2-2½ awr. Mae angen troi'r pwdin gyda llwy bob rhyw hanner awr.
awr.
3. Ar ôl i'r pwdin goginio am 1½ awr, ychwanegu'r syrup.
4. Gweinir y pwdin yn boeth fel arfer ond mae llawer o bobl yn ei hoffi yn oer. Bydd rhywun yn siŵr o godi twrw ynghylch pwy sydd am gael y fraint o grafu'r croen blasus oddi ar y ddysgl.

GEIRFA

Pwdin reis—*rice pudding* Siwgr mân—*caster sugar* Syrup melyn—*Golden syrup* Ffwrn—*oven*

62. Tarten Fanana

digon i 5-6

OS OES cwstard oer ar ôl gennych, dyma'r rysáit i'w ddefnyddio.

CYNHWYSION

4 owns/100 gram crwst brau (rysáit rhif 1)
oddeutu ½ peint/300 ml cwstard oer
2 lond llwyd fwrdd o jam mafon (Byddaf i wrth fy modd gyda'r un sydd yn cael ei wneud gan Welsh Speciality Foods, Prestatyn, oherwydd ei fod yn debyg iawn i jam cartref.)
2 fanana
ychydig o sudd lemwn
ychydig o goconyt mân wedi ei grasu

DULL

1. Defnyddio'r crwst i wneud cas crwst fel yn y rysáit ar gyfer Tarten Gellyg a Chyffug *(rysáit rhif 34)*.
2. Taenu'r jam dros waelod y cas crwst oer.
3. Torri'r 2 fanana yn gylchoedd tenau, rhoi ychydig o sudd lemwn trostynt rhag iddynt droi'n frown a'u gosod ar ben y jam.
4. Tywallt y cwstard oer dros y banana.
5. Taenellu coconyt mân wedi ei grasu dros wyneb y darten.

I grasu coconut dylid ei osod yn haen denau ar blât enamel neu dun coginio. Yna:

a) Ei roi mewn ffwrn gymedrol nes iddo droi'n frown golau. Rhaid cadw llygad arno a'i gymysgu o bryd i'w gilydd.
b) Ei roi o dan y gridyll. Eto mae'n rhaid cadw llygad arno a'i gymysgu'n aml.

Peidiwch â'i or-grasu neu fe fydd blas llosgi arno.

GEIRFA

Crwst brau—*shortcrust pastry* Cwstard oer—*cold custard* Jam mafon—*raspberry jam*
Sudd lemwn—*lemon juice* Coconyt mân—*desiccated coconut* *Crasu—toast* Taenu—*spread*
Taenellu—*sprinkle*

63. Brenhines y Pwdinau

digon i 6-8

HEN ffefryn wedi ei addasu. Gweinir y pwdin hwn yn boeth fel arfer ond rwyf i'n ei hoffi'n oer hefyd gyda hufen ffres.

CYNHWYSION

1½ peint/900 ml llefrith
4 wy wedi eu gwahanu
4 owns/100 gram briwsion bara ffres (Byddaf yn defnyddio briwsion brown a gwyn yn gymysg i roi mwy o flas.)
croen 1 lemwn wedi ei ratio'n fân
4 owns/100 gram siwgr mân
3 llond llwy fwrdd caws lemwn (neu jam)
8 owns/200 gram siwgr mân ar gyfer y meringue

DULL

1. Paratoi'r briwsion o'r bara *(peidiwch â defnyddio'r crystyn)*. Byddaf yn defnyddio'r prosesydd bwyd i wneud hyn.
2. Curo'r melynwy gyda fforc a'i ychwanegu i'r llefrith—bydd angen curo'r ddau yn dda gyda'i gilydd.
3. Ychwanegu'r 4 owns/100 gram o siwgr a'r croen lemwn i'r cymysgedd llefrith.
4. Arllwys y cymysgedd llefrith dros y briwsion bara mewn dysgl addas i'w rhoi yn y ffwrn. Mae'n well defnyddio dysgl weddol fas gan fod y pwdin yn coginio'n well mewn dysgl felly. Gadael i'r bara fwydo yn yr hylif am 30 munud os oes amser.
5. Dodi'r ddysgl mewn tun sy'n hanner llawn o ddŵr. Mae hyn yn rhwystro'r pwdin rhag gor-goginio.
6. Coginio'r pwdin am oddeutu 40 munud *(nwy 4/170°C)*. I wneud yn siŵr fod y pwdin wedi coginio drwyddo, dodwch flaen cyllell finiog yn ei ganol:-
   a) os oes llefrith yn dod allan, nid yw yn barod.
   b) os nad oes dim yn dod allan, yna mae'r pwdin yn barod.
   c) os oes dŵr yn dod allan, mae'r pwdin wedi ei goginio ormod.
7. Os oes croen braidd yn galed wedi ffurfio ar ben y pwdin, mae modd

ei dynnu i ffwrdd. *(Mae hyn yn digwydd os yw'r pwdin wedi ei goginio yn rhy gyflym.)*

8. Taenu'r caws lemwn dros wyneb y pwdin—os yw hyn yn anodd meddalwch y caws lemwn ychydig. *(Mae'r microdon yn gwneud y gwaith yma'n gampus.)* Gellir defnyddio jam mefus neu fafon ond rwyf i'n hoffi'r addasiad yma.
9. Chwisgio gwynwy mewn powlen fawr sych gyda hanner yr 8 owns/300 gram o siwgr nes ei fod yn sefyll yn bigau. Cymysgu gweddill y siwgr yn ysgafn gyda llwy fetel. Dodi'r *meringue* dros y pwdin.
10. Dodi'r pwdin yn ôl yn y ffwrn ar wres isel *(nwy 2-3/150°C)* nes bydd wyneb y *meringue* wedi caledu ychydig a throi'n frown golau.
11. Gweinir yn boeth fel arfer.
12. Ar gyfer achlysur arbennig, byddaf yn gwneud pwdinau bach unigol mewn powlenni bach o'r enw *ramekins*. Gweinir hwynt ar soser gyda doili. Byddaf yn eu haddurno â chnau wedi eu malu a darn bach o geiriosen.

GEIRFA

Brenhines y pwdinau—*Queen of puddings* Gwahanu—*separate* Briwsion bara—*breadcrumbs*
Croen lemwn—*lemon rind* Siwgr mân—*caster sugar* Caws lemwn—*lemon cheese*
Crystyn—*crust* Melynwy—*egg yolk* Curo—*beat* Cymysgedd—*mixture*
Arllwys—*pour* Bas—*shallow* Mwydo—*soak* Hylif—*liquid* Gor-goginio—*overcook*
Taenu—*spread* Microdon—*microwave* Chwisgio—*whisk* Gwynwy—*egg white*
Achlysur arbennig—*special occasion* Addurno—*decorate* Cnau wedi eu malu—*chopped nuts*
Ceirios glacé—*glacé cherries*

64. Cacen Siocled o'r Oergell

digon i 8 neu 10

OS OES gennych ryw 10 munud i'w sbario, paratowch y gacen yma a'i rhoi yn yr oergell yn barod at y pryd nesaf. (Gellir rhewi'r gacen yma hefyd.)

CYNHWYSION

9 owns/225 gram siocled (Byddaf yn defnyddio hanner y siocled yn blaen a'r hanner arall yn felys. Fel hyn, ni fydd y gacen yn rhy felys nac yn rhy chwerw.)
8 owns/200 gram menyn
9 owns/225 gram o unrhyw fisgedi sydd gennych ar ôl yn y tun
9 owns/225 gram ffrwythau cymysg sych
3 owns/75 gram cnau cymysg
2 wy maint 3 (Gan nad ydych yn coginio'r gacen yma, mae'n werth defnyddio wyau ieir sy'n cael eu bwydo ar fwydydd heb ychwanegion cemegol ynddynt. Yr ydym yn ffodus ym Mhen Llŷn o allu prynu wyau o'r ansawdd yma o fferm y Plas, Llwyndyrus. Maent yn gwerthu eu hwyau i'r siopau lleol.)

DULL

1. Torri'r siocled yn dameidiau bach a'u rhoi mewn powlen gymysgu *(addas i'w rhoi yn y microdon)*. Meddalu'r siocled ar wres uchel am 1 munud. Yna ychwanegu'r menyn wedi ei dorri ac yna meddalu'r ddau gyda'i gilydd nes iddynt doddi'n gyfan gwbl—oddeutu 2 funud.
2. Rhoi'r bisgedi yn y prosesydd bwyd i'w malu'n fân. Os nad oes prosesydd bwyd gennych, rhowch y bisgedi mewn bag plastig cryf gan rolio drostynt yn galed gyda rholbren. Ychwanegu'r briwsion bisgedi i'r siocled a'r menyn a'u cymysgu'n dda.
3. Ychwanegu'r ffrwythau sych a'r cnau i'r bowlen ac yna cymysgu'r ddau wy i mewn yn dda.
4. Dodi'r cymysgedd mewn tun coginio bas wedi ei iro—un crwn neu un sgwâr—oddeutu 8 modfedd o faint. Mae'n fantais os oes iddo waelod rhydd.
5. Creu patrymau rhychiog ar wyneb y gacen gyda fforc.
6. Mae'r gacen yn gyfoethog iawn, felly darn bach sydd ei angen. Byddaf

yn ei weini gyda mefus ffres pan maent mewn tymor a hufen ffres wedi ei chwipio.

GEIRFA

Siocled—*chocolate* Siocled plaen—*plain chocolate* Siocled melys—*milk chocolate*
Bisgedi—*biscuits* Ffrwythau wedi ei sychu—*dried fruit (in this instance can include glacé fruit as well)*
Cnau cymysg—*mixed nuts* Ychwanegion cemegol—*chemical additives*
Prosesydd bwyd—*food processor* Rholbren—*rolling pin* Iro—*grease* Cyfoethog—*rich*
Mefus—*strawberries* Chwipio—*whip*

65. Pwdin Sbwng Gellyg a Sinsir

PWDIN tebyg i bwdin Pinafal a'i Ben i Lawr yw hwn. Mae'n gwneud tipyn o newid ac os ydych fel myfi yn hoff o flas sinsir fe ddylai eich plesio.

CYNHWYSION

6 owns/150 gram Sbwng Fictoria (rysáit rhif 3) **gyda 1 llwy de o bowdr sinsir wedi ei ychwanegu ato**
1 tun mawr gellyg
3 llond llwy fwrdd o farmalêd sinsir

DULL

1. Gwneud y Sbwng Fictoria gyda'r sinsir wedi ei ychwanegu ato.
2. Rhoi'r marmalêd ar waelod tun bara dau bwys, wedi ei iro.
3. Hidlo'r gellyg a'u gosod yn ddestlus ar ben y marmalêd.
4. Taenu'r cymysgedd sbwng dros y gellyg.
5. Coginio'r pwdin ar nwy 4/170°C am oddeutu 45 munud. Os yw wyneb y pwdin yn mynd yn rhy frown cyn i ganol yr ysbwng orffen coginio, dodwch orchudd o bapur gwrth-saim arno. I wneud yn sicr bod y pwdin yn barod, pwyswch eich bys yn ysgafn ar yr wyneb. Os yw'r hoel yn codi yn ei ôl, yna mae'r pwdin yn barod.
6. Gweinir y pwdin gyda chwstard neu hufen ffres ond gellir gwneud saws syml o'r hylif gellyg a ddaeth o'r tun. Cymysgu ½ llond llwy de o flawd corn â dŵr. Ychwanegu hwn i'r hylif gellyg a'i gynhesu nes y bydd wedi berwi a thewychu ychydig—mae'n rhaid cymysgu'r saws yn gyson nes y bydd wedi berwi.

GEIRFA

Gellyg—*pears* Sinsir—*ginger* Marmalêd—*marmalade* Tun bara—*loaf tin* Hidlo—*strain*
Taenu—*spread* Gorchudd—*covering* Papur gwrth-saim—*greaseproof paper* Hylif—*liquid*
Blawd corn—*cornflour* Berwi—*boil* Tewychu—*thicken* Yn gyson—*constantly*

Cinio Dydd Sul Traddodiadol

MAE'R rhan fwyaf ohonom, rwy'n siŵr, yn dal i lynu wrth y traddodiad o gael Cinio Dydd Sul gyda chig wedi ei rostio, llysiau, grefi a phwdin i ddilyn. Wel, credwch neu beidio, nid yw'n ginio hawdd ei wneud yn dda. Felly rwyf am dreulio cryn dipyn o amser yn eich tywys drwy bob cam o'r pryd.

Dyma'r fwydlen

Cig rhost

Cig eidion gyda phwdin Efrog, saws radys poeth neu fwstard
Neu
Cig oen gyda saws mintys
Neu
Porc gyda stwffin saets a nionyn a saws afalau
Neu
Cyw iâr gyda stwffin persli a theim a selsig a rholiau cig moch

Dyma'r pedwar cig mwyaf poblogaidd.

Llysiau

Tatws rhost, tatws hufennog neu datws newydd gyda'r cigoedd i gyd
Moron gwydrog, pannas rhost a bresych gyda'r cig eidion
Pys Ffrengig gyda'r cig oen
Blodfresych gyda saws caws a moron plaen gyda'r porc
Blodfresych gaeaf gyda saws hufen ac almwn gyda'r cyw iâr
(Wrth gwrs, enghreifftiau yw'r uchod).

Pwdinau

Nid oes dim gwell na phwdin reis arbennig (rysáit rhif 61) **neu darten ffrwythau** (rysáit rhif 58) **gyda chwstard neu hufen i orffen y pryd. Mae'r rhain yn hwylus hefyd, gan eich bod yn gallu eu rhoi yn y popty i goginio yr un pryd â'r cig.**

66. Rhostio Cig

MAE ymchwil wedi dangos bod cig yn crebachu llawer llai os yw'n cael mwy o amser i goginio. Rwyf i'n credu hefyd fod y cig yn tyneru'n well ac yn blasu'n well os yw'n cael digon o amser yn y ffwrn.

Siart Rhostio Cig yn Araf

Popty—Nwy 4/170°C ar gyfer porc
Popty—Nwy 3/160°C ar gyfer cigoedd eraill

	Amser coginio i bob pwys o gig (darnau 3-6 pwys)
Cig Eidion	
Wedi ei goginio'n ysgafn	26 munud i bob pwys
Wedi ei goginio'n ganolig	30 munud i bob pwys
Wedi ei goginio'n dda	35 munud i bob pwys
Cig Oen	
Coesyn	35 munud i bob pwys
Gwddf a golwython	45 munud i bob pwys
Ysgwydd	35 munud i bob pwys
Ysgwydd heb yr asgwrn wedi ei rolio	55 munud i bob pwys
Porc	
Coesyn	45 munud i bob pwys
Lwyn	35 munud i bob pwys
Ysgwydd	40 munud i bob pwys
Ysgwydd heb yr asgwrn wedi ei rolio	55 munud i bob pwys
Cyw Iâr	
Heb stwffin	30 munud i bob pwys
Gyda stwffin	35 munud i bob pwys

GEIRFA

Ymchwil—*research* Crebachu—*shrink* Tyneru—*tenderise* Cig eidion—*beef* Cig oen—*lamb*
Porc—*Pork* Cyw iâr—*Chicken* Coesyn—*leg* Ysgwydd—*shoulder* Lwyn—*loin* Stwffin—*stuffing*

Rhoi'r darn cig mewn tun rhostio gyda'r darnau mwyaf seimlyd ar i fyny. Rhoi ychydig o saim ar yr wyneb. Mae'n werth rhoi'r cig i eistedd ar hambwrdd oeri yn y tun rhostio fel bod y saim yn rhedeg oddi wrth y cig. Gellir brasteru'r cig o bryd i'w gilydd yn ystod yr amser coginio. Pan fydd cig yn cael ei rostio'n araf, peidiwch ag ychwanegu halen ar wyneb y cig nes y bydd wedi coginio am oddeutu 1 awr neu bydd gormod o hylif yn cael ei dynnu allan o'r cig. Ar ôl awr, bydd wyneb y cig wedi ei selio. Os ydych am rostio darn o gig a bron ddim braster arno, mae'n werth gofyn i'ch cigydd am ddarn o fraster i orchuddio wyneb y cig. Gellir ei glymu yn ei le. Byddaf i yn rhoi ychydig o ddŵr ar waelod y tun rhostio i gynhyrchu ychydig o stêm. Mae gwneud hyn yn fuddiol os ydych yn coginio cig sydd yn weddol sych. Mae'n werth gadael i gig aros mewn lle cynnes am oddeutu 10 munud cyn ei dorri gan fod hyn yn y gwneud y gwaith yn llawer haws.

GEIRFA

Saim—*fat or dripping* Hambwrdd oeri—*cooling tray, or in this case a rack* Braster—*fat*
Brasteru—*baste* Hylif—*liquid or, in this case, meat juices* Selio—*seal* Gorchuddio—*cover* Clymu—*tie*

67. Pwdin Efrog

i fynd gyda Chig Eidion wedi ei rostio

CYNHWYSION

5 owns/125 gram blawd gwyn plaen
pinsiad o halen
1 wy mawr
½ peint/300 ml llefrith a dŵr wedi eu cymysgu (oddeutu ¾ llefrith i ¼ dŵr)
2 lond llwy fwrdd o saim o'r tun cig

DULL

1. Rhidyllu'r blawd i bowlen gymysgu ac ychwanegu'r halen.
2. Gwneud twll ynghanol y blawd ac ychwanegu'r wy *(heb ei gymysgu)* ac oddeutu hanner yr hylif. Gyda llwy bren cymysgu'r cynhwysion yn ofalus gan dynnu mwy o'r blawd i'r canol drwy'r amser.
3. Curo gweddill yr hylif i mewn a gadael y cymysgedd i sefyll am ryw awr cyn ei goginio.
4. Rhoi'r saim cig mewn tun neu ddysgl enamel a'i dwymo'n iawn yn y popty. Gogwyddo'r tun fel bo'r saim yn gorchuddio'r ochrau.
5. Tywallt y cymysgedd i'r tun a'i goginio ar Nwy 6/200°C *(Mae'n haws coginio pwdin Efrog os oes popty dwbl gennych oherwydd ei fod angen gwres tipyn uwch na'r cig. Fel arall mae'n rhaid codi'r gwres ychydig gan goginio'r cig ar silff isel a'r pwdin mor uchel ag sy bosibl.)*
6. Mae'r pwdin Efrog yma'n un ysgafn ac yn codi'n dda.
7. Gweinir mewn darnau gyda'r cig.
8. Gellir gwneud rhai bach gan ddefnyddio tun gwneud cacennau bach— does dim angen cymaint o amser i'w coginio.

Fel arfer gweinir saws radys poeth neu fwstard gyda'r cig eidion hefyd. Mae'r rhain i'w cael wedi eu paratoi'n barod yn y siopau.

GEIRFA

Pwdin Efrog—*Yorkshire pudding* Blawd gwyn plaen—*plain white flour* Wy mawr—*large egg*
Rhidyllu—*sieve* Ychwanegu—*add* Curo—*beat* Hylif—*liquid* Saim cig—*dripping* Gogwyddo—*tilt*
Popty dwbl—*double oven* Saws radys poeth—*horseradish sauce* Mwstard—*mustard*

68. Saws Mintys

i fynd gyda Chig Oen wedi ei rostio

CYNHWYSION

2 lond llwy fwrdd o ddail mintys ffres
1-2 lond llwy fwrdd siwgr mân
finegr gwin

DULL

1. Torri'r mintys ar fwrdd torri gyda chyllell finiog. Mae'r gwaith yn haws os ychwanegwch ychydig o siwgr. Mae gennyf gof am fy nhaid yn gwneud y gwaith yma—roedd o'n arbenigwr ar dorri mintys! Roedd yr arogl yn fendigedig.
2. Ychwanegu gweddill y siwgr a'r finegr yn ôl eich chwaeth bersonol chi.
3. Ei weini mewn jwg saws wrth ochr y cig.

GEIRFA

Saws mintys—*mint sauce* Siwgr mân—*caster sugar* Finegr gwin—*wine vinegar*
Chwaeth—*taste* Jwg saws—*sauce boat*

AWGRYM

Gellir taenellu ychydig o rosmari sych dros y cig oen cyn ei goginio—mae'n ychwanegu blas hyfryd i'r cig.

69. Saws Afalau

i fynd gyda Phorc wedi ei rostio

CYNHWYSION

1 pwys/800 gram afalau coginio
darn o groen lemwn wedi ei dorri'n denau
1 llond llwy bwdin o siwgr mân
½ owns/13 gram menyn

DULL

1. Plicio'r afalau a thynnu'r canol allan.
2. Dodi'r afalau gyda'r croen lemwn mewn sosban ac ychwanegu 2-3 llond llwy fwrdd o ddŵr.
3. Rhoi'r caead yn dynn ar y sosban a choginio'r afalau nes y byddant yn fwydog.
4. Curo'r afalau gyda llwy bren i gael cymysgedd llyfn ac yna ychwanegu'r siwgr a'r menyn.
4. Gweinir yn boeth mewn jwg saws wrth ochr y porc.

GEIRFA

Porc—*pork* Saws afalau—*apple sauce* Canol afal—*apple core*
Croen lemwn—*lemon rind* Caead—*lid* Mwydog—*pulpy* Curo—*beat*
Llwy bren—*wooden spoon* Cymysgedd llyfn—*smooth mixture* Jwg saws—*sauce boat*

70. Stwffin Saets a Nionyn

i fynd gyda Phorc wedi ei rostio

CYNHWYSION

6 owns/150 gram briwsion bara gwyn ffres
2 nionyn canolig
2 lond llwy de saets wedi sychu
ychydig o bupur a halen
menyn

DULL

1. Tynnu croen y nionod a'u torri'n fân. Gellir defnyddio prosesydd bwyd i wneud hyn.
2. Gwneud y briwsion bara—eto gellir defnyddio'r prosesydd bwyd i wneud hyn.
3. Cymysgu'r nionod, y bara, y saets a'r pupur a halen mewn powlen—gellir defnyddio wy i ddod â'r cynhwysion at ei gilydd ond gwell gennyf fi i'r stwffin fod yn fwy rhydd.
4. Byddaf yn rhoi oddeutu hanner y stwffin yn y cig ac yna'n dodi hanner y menyn arno. Ychwanegu gweddill y stwffin wedyn a rhoi'r darn arall o fenyn arno a'i wthio i mewn ychydig rhag iddo ddisgyn allan ar ôl rhoi'r cig yn y tun.

AWGRYM

Mae'n bwysig fod porc yn cael ei goginio'n dda. Dylai unrhyw hylif o'r cig ddod allan yn glir pan fydd sgiwer yn cael ei roi i mewn. Os yw'r hylif yn binc, nid yw'r cig yn barod.
Os ydych am grimpio croen y porc, dewiswch goesyn a hollti'r croen yn dda cyn ei goginio.

GEIRFA

Stwffin saets a nionyn—*sage and onion stuffing*
Briwsion bara gwyn ffres—*fresh white breadcrumbs* Nionyn—*onion*
Saets wedi sychu—*dried sage* Canolig—*medium* Prosesydd bwyd—*food processor* Rhydd—*loose*
Hylif—*liquid or juices in this case* Clir—*clear* Sgiwer—*skewer* Crimpio—*crispen* Hollti—*score*

71. Stwffin Teim a Phersli

i fynd gyda Chyw Iâr wedi ei rostio

CYNHWYSION

6 owns/150 gram briwsion bara gwyn ffres
1 nionyn canolig
1 llond llwy de o deim wedi ei sychu
1 llond llwy fwrdd o bersli ffres wedi ei dorri'n fân
croen ½ lemwn wedi ei ratio'n fân
ychydig o bupur a halen
2 owns/50 gram menyn

DULL

1. Gwneud y briwsion bara. Byddaf yn defnyddio'r prosesydd bwyd i wneud hyn.
2. Tynnu croen a thorri'r nionyn yn fân. Gellir defnyddio'r prosesydd bwyd i wneud hyn.
3. Cymysgu'r briwsion bara, y nionyn, y teim, y persli wedi ei dorri'n fân, y croen lemwn wedi ei ratio a phupur a halen.
4. Gellir ychwanegu un wy i wneud i'r cymysgedd lynu ond gwell gennyf i stwffin mwy rhydd.
5. Rhoi hanner y stwffin gyda hanner y menyn y tu mewn i'r aderyn, yna ychwanegu gweddill y stwffin gyda gweddill y menyn cyn ei gau i fyny gyda sgiwer. Mae rhai yn hoffi rhoi stwffin o dan groen yr aderyn, dros y frest, i ychwanegu mwy o flas i'r cig.
6. Cyn rhostio'r cyw iâr, gellir rhoi darnau o gig moch brith dros y frest rhag iddo sychu. Mae'n ychwanegu blas i'r cig hefyd.
7. **COFIWCH,** os ydych yn defnyddio cyw iâr wedi ei rewi, bod rhaid iddo ddadmer yn iawn cyn ei goginio. Mae'n bwysig hefyd ei goginio'n ddigonol os am osgoi gwenwyn bwyd.

AWGRYM

Gellir gweini selsig wedi eu coginio a rholiau cig moch gyda chyw iâr hefyd. Mae'n well prynu selsig coctel os yw'n bryd arbennig. Defnyddiwch gig moch brith wedi ei rolio i fyny a'i roi o dan y gridyll neu yn y popty nes iddo droi'n frown.

GEIRFA

Briwsion bara gwyn ffres—*fresh white breadcrumbs* Nionyn canolig—*medium-sized onion* Teim—*thyme* Persli—*parsley* Croen lemwn—*lemon rind* Gratio—*grate* Prosesydd bwyd—*food processor* Glynu—*stick* Llac—*loose* Sgiwer—*skewer* Cig moch brith—*streaky bacon* Dadmer—*to defrost* Gwenwyn bwyd—*food poisoning* Selsig coctel—*cocktail sausages* Gridyll—*grill*

72. Moron Gwydrog

i fynd gyda Chig Eidion

CYNHWYSION

1-2 bwys moron
1 llond llwy de siwgr gwyn cras
1 owns/25 gram menyn
ychydig o halen

DULL

1. Plicio a thorri'r moron yn gylchoedd.
2. Eu rhoi gyda'r siwgr a'r menyn a'r halen mewn sosban ac ychwanegu dim ond digon o ddŵr i'w gorchuddio.
3. Eu berwi'n gymedrol gyda chaead ar y sosban nes iddynt feddalu.
4. Tynnu'r caead oddi ar y sosban a'u coginio nes i'r dŵr ageru—bydd y menyn a'r siwgr wedi gwydro'r moron. Byddwch yn ofalus nad ydynt yn llosgi—mae'n rhaid cadw golwg arnynt. Maent yn cymryd oddeutu 20 munud i goginio.

GEIRFA

Cig eidion—*beef* Moron gwydrog—*glazed carrots* Siwgr gwyn cras—*granulated sugar*
Cylchoedd—*rings* Caead—*lid* Ageru—*evaporate* Gwydro—*glaze*

73. Pannas wedi eu rhostio

i fynd gyda Chig Eidion

Byddaf yn hoff iawn o ddodi pannas cyfan (neu rai wedi eu torri'n eu hanner os ydynt yn rhy fawr) gyda'r tatws rhost a'r cig a'u rhostio am oddeutu 30 munud. Cofiwch eu troi drosodd ar ôl rhyw 15 munud.

GEIRFA

Pannas—*parsnips*

74. Bresych mewn Menyn

i fynd gyda Chig Eidion

Gall bresychen fod yn hynod o flasus ond gall fod yn ofnadwy hefyd, gan nad yw pobl yn eu coginio'n iawn. Dyma bwyntiau pwysig i'w cofio.

1. Dylid rhoi llysiau sy'n tyfu uwchben y ddaear mewn dŵr berwedig hallt heb gaead arno.
2. Defnyddiwch y dail mewnol brau yn unig. Byddaf i yn eu torri yn ddarnau.
3. Peidiwch â gor-goginio'r fresychen. Mae 10-12 munud yn ddigon.
4. Gorffennwch ei choginio mewn menyn ar ôl ei hidlo.
5. Peidiwch â'i cadw'n boeth am amser maith neu fe fydd yn datblygu arogl anghynnes ac fe fydd y lliw yn difetha. Gellir ei choginio'n gynnar a'i rhoi yn yr hidlen a'i golchi gyda dŵr oer cyn ei haildwymo mewn oddeutu 1 owns/25 gram menyn cyn ei gweini.

GEIRFA

Bresych—*cabbage* Hidlo—*strain*

75. Pys Ffrengig
i fynd gyda Chig Oen

Does dim yn mynd yn well gyda chig oen na moron wedi eu berwi'n blaen a phys. Dyma'r rysáit am bys Ffrengig sy'n ychwanegu blas ac ychydig o ddiddordeb i'r pryd.

CYNHWYSION

1 pecyn 1 pwys/400 gram pys wedi eu rhewi (mae'r pys bach Ffrengig yn well fyth)
4-5 o ddail allanol letysen (ffordd dda i gael gwared ohonynt)
6 sibolsen
2 owns/50 gram menyn

DULL

1. Dodi'r pys a'r dail letys wedi eu torri a'r sibols wedi eu torri'n fân mewn sosban, gydag ychydig o halen.
2. Rhoi ychydig o ddŵr a'r menyn gyda'r pys a'u berwi'n araf gyda chaead arnynt nes y byddant yn barod. Yna tynnu'r caead a gadael i'r hylif ageru bron yn gyfan gwbl.

GEIRFA

Pys—*peas* Letysen—*lettuce* Sibolsen—*spring onion* Pys Ffrengig—*French style peas*
Hylif—*liquid* Ageru—*evaporate*

76. Blodfresych gyda Saws Caws

i fynd gyda Phorc

CYNHWYSION

1 flodfresychen fawr
1 peint o saws gwyn (rysáit rhif 5)
2 owns o gaws wedi ei ratio ac ychydig mwy (unrhyw gaws cryf ei flas)

DULL

1. Torri darnau gwyn y blodfresych a'u coginio mewn dŵr hallt berwedig am oddeutu 5 munud. Peidiwch â'u gor-goginio.
2. Eu hidlo a'u golchi gyda dŵr oer, yn yr hidlen.
3. Rhoi ychydig ddarnau o flodfresych ar y tro mewn lliain glân a'u gwasgu at ei gilydd i ffurfio siâp pêl.
4. Rhoi'r peli blodfresych ar dun coginio wedi ei iro'n barod.
5. Gwneud y saws fel yn y rysáit sylfaenol ac ychwanegu'r caws ato.
6. Arllwys ychydig o'r saws dros y peli blodfresych a thaenellu ychydig o gaws ychwanegol dros bob un.
7. Eu rhoi yn y popty am oddeutu 10 munud nes y byddant wedi twymo a'r caws ar yr wyneb wedi troi'n frown.
8. Maent yn edrych yn hynod o ddeniadol o amgylch plât hirgrwn gyda moron gwydrog yn y canol.

GEIRFA

Blodfresych—cauliflower Saws gwyn—*white sauce* Caws—*cheese* Gor-goginio—*overcook*
Hidlen—*colander* Lliain—*cloth or tea-towel* Iro—*grease* Arllwys—*pour* Plât hirgrwn—*oval plate*
Moron gwydrog—*glazed carrots*

77. Blodfresych Gaeaf gyda Saws Hufen ac Almwn

i fynd gyda Chyw Iâr

Mae'r blodfresych gaeaf porffor i'w cael ar eu gorau yn y siopau ym mis Medi a mis Hydref a'r un gwyrdd o'r Eidal yn ystod misoedd yr haf.

CYNHWYSION

3-4 pen o flodfresych gaeaf (dibynnu ar eu maint)
¼ peint/150 ml o hufen dwbl
½ llond llwy de o flawd corn wedi ei gymysgu gyda dŵr
1 owns/25 gram cnau almwn wedi eu crasu
ychydig o bupur a halen

DULL

1. Coginio blodfresych gaeaf mewn dŵr berwedig hallt am oddeutu 20 munud. Byddaf yn eu coginio gyda'r coesau yn wynebu ar i lawr a'r pennau at i fyny mewn sosban sydd ddim ond prin ddigon mawr i'w cymryd.
2. Hidlo'r blodfresych gaeaf yn dda a'u rhoi mewn dysgl weini.
3. Yn y cyfamser rhaid paratoi'r saws.
   a) Rhoi'r hufen mewn padell gydag ychydig o bupur a halen a'i dwymo'n araf.
   b) Chwisgio'r blawd corn a'r dŵr i mewn iddo a dal i wneud hynny nes bydd y saws wedi tewychu.
4. Arllwys y saws hufen dros y blodfresych gaeaf a thaenellu cnau almwn wedi eu crasu dros yr wyneb.
5. I grasu'r cnau, dylid eu rhoi mewn tun coginio neu ar blât enamel a'u rhoi mewn popty cymedrol nes y byddant wedi troi yn frown. Rhaid cadw llygad barcud arnynt rhag iddynt or-grasu.

GEIRFA

Blodfresych gaeaf—*broccoli* Eidal—*Italy* Hufen dwbl—*double cream* Blawd corn—*cornflour* Cnau almwn—*almonds* Dŵr hallt—*salted water* Hidlo—*strain* Dysgl weini—*serving dish* Crasu—*toast* Popty cymedrol—*moderate oven* Gor-grasu—*overbrown*

78. Tatws Hufennog

Fel arfer, gweinir tatws rhost (rysáit rhif 79) a thatws hufennog hefyd.

1. Rhoi tatws mewn dŵr oer hallt a'u berwi nes y byddant yn feddal.
2. Hidlo'r tatws yn dda a'u sychu dros wres y popty am ychydig eiliadau. Dylid ysgwyd y sosban drwy'r amser.
3. Stwnsio'r tatws yn dda gyda lwmp o fenyn ac ychydig o lefrith.
4. Gweinir gyda phersli wedi ei daenellu trostynt.

GEIRFA

Tatws rhost—*roast potatoes* Tatws hufennog—*creamed potatoes* Sychu—*dry* Stwnsio—*to mash* Persli—*parsley*

AWGRYM

Yn ystod misoedd yr haf mae'n braf gweini tatws newydd gyda'r pryd. Peidiwch â phlicio'r tatws—dim ond eu golchi a'u berwi nes y byddant yn feddal. Ar ôl eu hidlo, dylid eu hysgwyd yn y sosban gyda lwmp o fenyn a phersli wedi ei dorri'n fân fel eu bod yn cael eu gorchuddio.

79. Tatws Rhost

Mae tair ffordd o wneud tatws rhost ac y mae pob un yn dderbyniol. Mae'r dull a ddewisiwch yn dibynnu ar faint o le sydd gennych yn y popty a hefyd faint o amser sydd gennych.

DULL 1

1. Dewis tatws o faint canolig. Eu plicio a'u rhoi mewn dŵr oer gyda halen ynddo. Unwaith mae'r dŵr yn berwi, hidlo'r tatws.
2. Crafu wyneb y tatws â fforc rhag iddynt gael croen tebyg i ledr.
3. Dodi'r tatws o amgylch y cig yn y tun rhostio am y 45 munud olaf o amser coginio'r cig. *(Mae'n rhaid gwneud yn sicr fod y tatws yn feddal.)*
4. Brasteru'r tatws o bryd i'w gilydd wrth frasteru'r cig a'u troi drosodd wedi iddynt goginio am oddeutu 25 munud.
5. Pan fyddwch yn gweini tatws rhost, peidiwch â rhoi caead ar y ddysgl weini neu fe fydd y croen hyfryd yn meddalu.
6. Taenellu ychydig o halen drostynt cyn eu gweini.

DULL 2

1. Plicio'r tatws a'u berwi mewn dŵr hallt nes bod y tu allan yn feddal a'r tu mewn yn dal yn weddol galed.
2. Dodi olew llysiau mewn tun bas a'i dwymo yn y popty.
3. Hidlo'r tatws a'u rholio yn yr olew cyn eu rhoi yn y popty am oddeutu 30 munud.
4. Troi'r tatws drosodd hanner ffordd drwy'r amser coginio.

DULL 3

Defnyddiwch y dull yma os yw amser yn brin iawn (neu efallai eich bod wedi anghofio gwneud tatws rhost!). Nid ydynt yn datws rhost yng ngwir ystyr y gair ond maent yn gwneud y tro mewn argyfwng.

1. Plicio a berwi'r tatws nes y byddant yn barod. Peidiwch â'u gor-ferwi neu fe fyddant yn torri ac yn anodd i'w trin.
2. Hidlo'r tatws yn dda.
3. Rhoi'r tatws mewn olew dwfn poeth yn y sosban sglodion nes y byddant wedi troi'n frown.
4. Eu rhoi ar bapur amsugnol i gael gwared o unrhyw saim ychwanegol.

GEIRFA

Derbyniol—*acceptable* Hidlo—*strain* Crafu—*scratch* Lledr—*leather* Brasteru—*baste* Caead—*lid*
Dysgl weini—*serving dish* Taenellu—*sprinkle* Olew llysiau—*vegetable oil*
Tun bas—*shallow tin* Argyfwng—*crisis* Sosban sglodion—*chip pan* Papur amsugnol—*absorbent paper*

80. Grefi

Rwyf am ddisgrifio dwy ffordd o wneud grefi llwyddiannus. Mae llawer o ffyrdd eraill hefyd. Fel arfer, mae merch yn gwneud grefi yn yr un ffordd â'i mam.

DULL 1

1. Cadw 2 lond llwy fwrdd o saim yn unig ar waelod y tun rhostio cig.
2. Oddi ar y gwres, ychwanegu 2 lond llwy fwrdd o flawd plaen a'i gymysgu'n dda gyda llwy bren.
3. Byddaf yn ychwanegu digon o ddŵr oer i wneud past tenau ac yn defnyddio chwisg swigen i gael gwared o unrhyw lympiau.
4. Ychwanegu 1½ peint/900 ml o a) stoc.
   b) stoc a dŵr coginio'r llysiau.
   c) dŵr coginio'r llysiau yn unig.
   Stoc cig eidion i wneud grefi cig eidion a grefi cig oen.
   Stoc cyw iâr i wneud grefi cyw iâr a grefi porc.
   Os ydych yn defnyddio dŵr coginio llysiau i wneud y grefi, y rhai gorau yw a) dŵr tatws, b) dŵr moron, c) dŵr rwden.
5. Ychwanegu'r hylif yn araf gan chwisgio drwy'r amser ac yna dal i chwisgio wrth i'r grefi dwymo.
6. Gellir ychwanegu 1 llond llwy de o liwiwr grefi i'r cymysgedd.
7. Berwi'r grefi ac yna troi'r gwres i lawr iddo ferwi am ychydig funudau.
8. Gellir ychwanegu hylif os yw'r grefi'n rhy dew.

DULL 2

1. Cadw 2 lond llwy fwrdd o saim cig yn y tun rhostio.
2. Ychwanegu 1½ peint/900 stoc neu ddŵr coginio llysiau i'r saim a'i dwymo.
3. Cymysgu 1½ llond llwy fwrdd o flawd corn gyda dŵr oer a'i ychwaengu i'r tun yn araf gan ei gymysgu neu ei chwipio gyda chwisg swigen drwy'r amser nes iddo ferwi.
4. Gellir ychwanegu 1 llond llwy de o liwiwr grefi os dymunir.

Os digwydd y gwaethaf, a bod lympiau yn y grefi, peidiwch â phoeni. Tywalltwch y grefi drwy hidlen ac yna ei aildwymo neu rhowch ef yn y prosesydd bwyd cyn ei aildwymo.

Gweinir y grefi mewn jwg grefi. Ni ddylid ei roi yn syth ar y cig.

GEIRFA

Grefi—*gravy* Saim—*fat* Tun rhostio cig—*meat roasting tin* Blawd plaen—*plain flour*
Llwy bren—*wooden spoon* Past—*paste* Chwisg swigen—*balloon whisk* Lympiau—*lumps* Stoc—*stock*
Dŵr coginio'r llysiau—*vegetable cooking water* Cig eidion—*beef* Cig oen—*lamb* Cyw iâr—*chicken*
Porc—*pork* Hylif—*liquid* Chwisgio—*whisk* Lliwiwr grefi—*gravy browning* Blawd corn—*cornflour*
Jwg grefi—*gravy boat* Prosesydd bwyd—*food processor*

RHAN 3

Cinio Rhamantus

(Ar gyfer dydd Santes Dwynwen, dyweddïad
neu ben blwydd priodas)

Y Fwydlen

Madarch Sant Illtud *(rysáit rhif 81)*

* * * * * *

Hwyaden gyda Saws Ceirios Du *(rysáit rhif 82)*
Tatws Duchesse *(rysáit rhif 37)*
Stribedi o Lysiau Cymysg *(rysáit rhif 40)*
Blodfresych Gaeaf gyda Saws Hufen ac Almwn *(rysáit rhif 77)*

* * * * * *

Cacen Rhys a Meinir *(rysáit rhif 83)*

* * * * * *

Coffi gyda Thrwfflau Siocled *(rysáit rhif 84)*

* * * * * *

I ginio o'r math yma, mae'r lliw pinc yn addas. Gellir ei ddefnyddio mewn lliain bwrdd, napcynau, blodau neu ganhwyllau. Byddaf yn hoffi rhoi blodyn ar blatiau'r merched i gyd.

81. Madarch Sant Illtud

digon i 2

DYMA rysáit newydd sbon yn defnyddio caws sydd newydd ddod ar y farchnad—caws Sant Illtud. Dyma gaws hynod o flasus sy'n cynnwys gwin Cymreig, garlleg a pherlysiau. Yr wyf yn ei brynu, fel llawer o'r cawsiau Cymreig eraill, yn y Welsh Cellar, Aberystwyth. Os nad yw ar gael yn eich ardal chi, defnyddiwch unrhyw gaws arall sy'n cynnwys garlleg a pherlysiau. Er fy mod i wedi gwneud y rysáit yn arbennig ar gyfer cinio rhamantus Dydd Santes Dwynwen, fe ellir wrth gwrs ei weini ar unrhyw achlysur.

CYNHWYSION

4 owns/100 gram madarch botwm
2 owns/50 gram menyn
2 ddarn garlleg
1 llond llwy fwrdd o bersli wedi ei dorri'n fân
4 owns/100 gram caws Sant Illtud
tafell o fara
olew a menyn i ffrio

DULL

1. Torri'r crystiau oddi ar y bara a'i dorri yn ddau siâp calon—gellir defnyddio torrwr crwst i wneud hyn neu wneud y siâp eich hunan gyda chyllell.
2. Ffrio'r bara siâp calonnau mewn cymysgedd o olew a menyn nes y byddant wedi caledu a throi'n frown. Eu rhoi ar bapur amsugnol i gael gwared ar unrhyw saim ychwanegol. Eu rhoi o'r neilltu i oeri.
3. Tynnu'r coesau a'r croen oddi ar y madarch a'u ffrio'n gyfan, yn araf yn y menyn. Ychwanegu'r garlleg wedi ei wasgu a'r persli.
4. Pan fydd y madarch wedi eu coginio, tynnwch hwynt o'r badell a'u cadw'n gynnes.
5. Rhoi'r caws yn y badell a'i feddalu yn araf dros wres isel gyda gweddillion y menyn, y garlleg a'r persli. Mae angen ei gymysgu'n dda rhag iddo wahanu oddi wrth y menyn.
6. Rhoi calon fara yr un ar ddau blât. Dodi hanner y madarch ar bob calon ac arllwys y saws caws drostynt.
7. Taenellu persli wedi ei dorri'n fân dros y madarch a'u gweini'n boeth.

GEIRFA

Madarch—*mushrooms* Garlleg—*garlic* Perlysiau—*herbs*
Dydd Santes Dwynwen—*January 25th, equivalent in Wales to Saint Valentine's Day* Persli—*parsley*
Crystiau—*crusts* Tafell—*slice* Siâp calon—*heart shape* Papur amsugnol—*absorbent paper*
Gweddillion—*remainder* Taenellu—*sprinkle*

82. Hwyaden gyda Saws Ceirios Du

digon i 4-5

CYNHWYSION

1 hwyaden ffres, os yn bosib, 4-5 pwys/2.5 kg
1 llond llwy de o halen
¼ llond llwy de o bupur
1 llond llwy de o rosmari wedi ei sychu
2 owns/50 gram menyn
1 nionyn bach
1 afal coginio bach

Y Saws

1 tun mawr ceirios du mewn syrup
2 sibolsen
½ owns/13 gram menyn
croen 1 lemwn wedi ei ratio'n fân
sudd ½ lemwn
1 llond llwy fwrdd o siwgr demerara
6 llond llwy fwrdd o win coch
½ llond llwy de o flawd corn wedi ei gymysgu gyda dŵr

DULL

1. Cymysgu'r menyn a'r rhosmari, yr halen a'r pupur gyda'i gilydd. Rhwbio y tu allan i'r hwyaden gyda hanner y cymysgedd a rhoi'r gweddill y tu mewn iddi.
2. Tynnu'r croen oddi ar yr afal a'r nionyn a'u rhoi y tu mewn i'r hwyaden. Maent yn amsugno'r saim ac yn ychwanegu blas i'r cig.
3. Dodi'r hwyaden ar rac goginio dros ben tun rhostio cig er mwyn i'r saim ddisgyn oddi ar yr aderyn.
4. Coginio'r hwyaden am oddeutu 45 munud ar nwy 6 neu 7/200°C ac yna gostwng y gwres i nwy 4 neu 5/180°C am oddeutu 45 munud arall.
5. Yn y cyfamser rhaid paratoi'r saws:-

a) Torri'r sibols yn fân a'u ffrio yn y menyn nes eu bod yn feddal.
b) Ychwanegu sudd a chroen y lemwn.
c) Ychwanegu'r ceirios du a'r syrup o'r tun. *(Mae'n rhaid tynnu'r cerrig o'r ceirios os nad yw'r gwaith wedi ei wneud yn barod i chi.)* Ychwanegu'r gwin coch a'r siwgr demerara.
ch) Berwi'r saws am ychydig funudau er mwyn i'r blas ddatblygu. Os oes angen, chwisgio'r blawd corn a'r dŵr i'r cymysgedd a'i ferwi am 1 munud arall. *(Bydd y saws yn tewychu ychydig.)*

6. Gweinir y saws hyfryd yma ar blât o dan y cig hwyaden poeth neu gellir ei dywallt dros y cig.
7. Addurno'r saig â darn o lemwn a chlwstwr o ferwr dŵr.

GEIRFA

Hwyaden—*duck* Halen—*salt* Pupur—*pepper* Rhosmari—*rosemary* Nionyn—*onion*
Afal coginio—*cooking apple* Sibols—*spring onions* Ceirios du—*black cherries*
Croen lemwn—*lemon rind* Sudd lemwn—*lemon juice* Siwgr demerara—*demerara sugar*
Gwin coch—*red wine* Blawd corn—*cornflour* Amsugno—*absorb* Rac goginio—*rack or grid*
Syrup—*syrup* Datblygu—*develop* Chwisgio—*whisk* Tewychu—*thicken* Clwstwr—*bunch*
Berwr dŵr—*watercress*

83. Cacen Rhys a Meinir

8-10 darn

DYMA rysáit a gafodd ei chreu pan oeddwn yn gweithio yng Nghaffi Meinir, Canolfan Iaith Genedlaethol, Nant Gwrtheyrn. Dewisais yr enw oherwydd cysylltiadau'r Nant â chwedl Rhys a Meinir ac mae cyfuniad o flas chwerw a melys yn y gacen ei hun. Yn aml mae gennyf fwyd dros ben ar ôl pryd arall ac mae'n rhaid gwneud rhywbeth gydag ef. Roedd gennyf dipyn go lew o Ffŵl Eirin a Sinamon dros ben, un diwrnod, ac felly es ati i greu Cacen Rhys a Meinir.

CYNHWYSION

oddeutu 8 llond llwy fwrdd o Ffŵl Eirin a Sinamon
cacen sbwng blaen (rysáit rhif 3) (Gellwch brynu cacen Madeira o'r siop os yw'r amser yn brin.)
Drambuie
10 owns hylif/300 ml o hufen dwbl i orchuddio'r gacen
ychydig o siwgr mân i felysu'r hufen
cnau Ffrengig wedi eu torri'n fân—oddeutu 4 owns/100 gram

DULL

1. Rhoi darn o bapur glynu i orchuddio ochrau a gwaelod tun bara gweddol fawr. Fe fydd hyn o gymorth pan fydd eisiau tynnu'r gacen o'r tun.
2. Torri'r sbwng yn haenau tenau a'u rhoi yn ddarnau dros waelod ac ochrau'r tun bara. Taenellu ychydig o'r *Drambuie* ar y sbwng *(oddeutu 2 lond llwy fwrdd).*
3. Defnyddio hanner y Ffŵl Eirin a Sinamon a'i roi yn y tun, dros haen isaf y sbwng.
4. Dodi haen arall o sbwng ar ben y Ffŵl Eirin a Sinamon. Taenellu ychydig mwy o'r *Drambuie* ar y sbwng yma eto.
5. Defnyddio gweddill y Ffŵl Eirin a Sinamon a'i roi yn y tun.
6. Gwneud un haen arall o ddarnau sbwng i orchuddio'r Ffŵl Eirin a Sinamon. Fe ddylai'r gacen gyrraedd ymyl y tun bara erbyn hyn. Taenellu ychydig o'r *Drambuie* eto ar yr haen sbwng uchaf.
7. Torri darn o bapur glynu a gorchuddio top y gacen.
8. Lapio bricsen neu garreg go drwm mewn papur gloyw a'i rhoi i bwyso ar ben y gacen. Mae angen rhoi'r gacen yn yr oergell am o leiaf 4 awr.

Mae'n well ei gadael dros nos.

9. Tynnu'r fricsen a'r papur glynu oddi ar y gacen a'i throi allan ar blât hirgrwn. Fe fydd yr haenau wedi eu gwasgu a'r Ffŵl Eirin a Sinamon wedi gweithio ei ffordd drwy'r sbwng blas *Drambuie*.
10. Chwipio'r hufen dwbl ac ychwanegu oddeutu 1 llond llwy de o siwgr mân i'w felysu ychydig. Defnyddio hwn i orchuddio ochrau a thop y gacen.
11. Torri cnau Ffrengig yn fân *(mae'r prosesydd bwyd yn dda i wneud hyn)*. Gorchuddio ochrau'r gacen â'r cnau. Y ffordd orau i wneud hyn yw rhoi pentwr o'r cnau ar y plât o gwmpas y gacen. Yna eu codi gyda chyllell er mwyn iddynt lynu i'r hufen. *(Mae'n hawdd glanhau gweddill y cnau oddi ar y plât gyda brws crwst a chadach gwlyb.)*
12. Peipio hufen yn rhosynnau o amgylch wyneb y gacen ac, os oes peth o hylif y Ffŵl ffrwythau ar ôl, ei redeg mewn stribedi ar wyneb y gacen a gwneud siapau gwe pry copyn gyda phric coctel.

Mae hon yn gacen addas at achlysur arbennig.

GEIRFA

Chwedl—*folk tale* Cacen—*cake or gâteau in this instance* Cacen sbwng blaen—*plain sponge cake* Siwgr mân—*caster sugar* Cnau Ffrengig—*walnuts* Taenellu—*sprinkle* Plât hirgrwn—*oval plate* Brws crwst—*pastry brush* Papur glynu—*cling-film*

84. Trwfflau Siocled

DULL

1. Gwneud cymysgedd Cacen Siocled o'r Oergell *(rysáit rhif 64)* a gadael iddo galedu ychydig.
2. Gellir ychwanegu rwm neu *Cointreau* i'r cymygedd os dymunir.
3. Gyda'r dwylo, ffurfio peli bach o'r cymysgedd. Rhaid gweithio mewn lle oer neu fe fydd y siocled yn meddalu.
4. Gorchuddio'r peli â siocled wedi ei feddalu. Byddaf yn gorchuddio rhai â siocled plaen, rhai â siocled melys a'r gweddill â siocled gwyn.
5. Rhoi'r trwfflau mewn casys papur bach a'u rhoi mewn powlen felysion i'w gweini ar ôl y pryd.
6. Gellir eu pacio'n ddeniadol a'u rhoi fel anrheg hefyd ond mae angen eu cadw yn yr oergell a'u bwyta o fewn rhyw 4 diwrnod. Cofiwch y gellir eu rhewi.

GEIRFA

Trwfflau—*truffles* Rwm—*rum* Ffurfio—*form* Meddalu—*melt* Siocled plaen—*plain chocolate* Siocled melys—*milk chocolate* Siocled gwyn—*white chocolate* Casys papur—*paper cases* Powlen felysion—*bon-bon dish* Oergell—*refrigerator.*

Cinio Priodas Arian

Y Fwydlen

Peli Melwn gyda Grawnwin mewn Gwin Gwyn *(rysáit rhif 85)*

* * * * * *

Cyw iâr gyda Saws Taragon *(rysáit rhif 86)*
Tatws wedi eu ffrio
Moron Gwydrog *(rysáit rhif 72)*
Ffa Ffrengig gyda Chig Moch *(rysáit rhif 38)*

* * * * * *

Cwpanau Siocled Gwyn *(rysáit rhif 87)*

* * * * * *

Coffi gyda ffrwythau barugog

* * * * * *

Rwyf wedi cadw'r bwyd yn weddol wyn ar gyfer y cinio Priodas Arian. Mae'n syniad defnyddio powlen fach arian i ddal blodau gwyn ac unrhyw bethau arian eraill sydd gennych i addurno'r bwyd. Gellir prynu'r ffrwythau barugog mewn siopau bwyd arbennig.

85. Peli Melwn gyda Grawnwin mewn Gwin Gwyn

digon i 6-8

CYNHWYSION

1 melwn heb fod yn rhy fawr (Gwnewch yn sicr ei fod yn aeddfed drwy wasgu ôl y coesyn. Os yw'r melwn yn barod i'w fwyta, fe ddylai roi ychydig o dan eich bawd. Byddaf yn defnyddio melwn Honeydew.)
4 owns/100 gram grawnwin du neu wyrdd (Mae'r rhai du yn rhoi gwell lliw ond mae'r rhai gwyrdd yn fwy addas i liwiau cinio dathlu Priodas Arian.)
1 llond llwy fwrdd o siwgr mân
5 llond llwy fwrdd o win gwyn (Byddaf yn hoffi defnyddio gwin o'r Almaen yn y rysáit yma gan fod y blas blodeuog yn gweddu'n berffaith.)

DULL

1. Torri'r melwn yn ei hanner a chael gwared o'r hadau. Defnyddio teclyn pwrpasol—*Parisienne cutter*—i wneud siapiau peli o'r melwn. Gellir torri'r melwn yn giwbiau ond nid ydynt yn edrych mor ddeniadol. Rhoi'r peli mewn powlen gymysgu.
2. Torri'r grawnwin yn eu hanner a chael gwared o'r hadau. Eu hychwanegu i'r bowlen.
3. Ychwanegu'r siwgr mân a'r gwin gwyn. Cymysgu'r cyfan yn dda.
4. Gorchuddio'r bowlen â phapur glynu a'i rhoi yn yr oergell am o leiaf 1 awr i'r blas ddatblygu a'r ffrwyth oeri.
5. Gweinir y peli melwn mewn gwydrau gwin. Dodi'r gwydrau ar ddoili, ar soser neu ar blât bach.
6. I wneud i ymylon y gwydrau edrych fel pe baent wedi rhewi, rhoi gwynwy wedi ei guro ar un soser a siwgr mân mewn soser arall. Troi'r gwydrau eu pennau i lawr. Rhoi'r ymylon yn gyntaf yn y gwynwy ac wedyn yn y siwgr mân. Gadael iddynt sychu. Mae'r ymylon yn edrych yn ddeniadol iawn ar ôl gwneud hyn.
7. Gellir rhoi sprigyn o fintys ffres ar ben pob gwydr.

GEIRFA

Peli melwn—*melon balls* Grawnwin—*grapes* Gwin gwyn—*white wine* Aeddfed—*ripe*
Siwgr mân—*caster sugar* Gwin o'r Almaen—*German wine* Hadau—*seeds* Ciwbiau—*cubes*
Gorchuddio—*cover* Papur glynu—*cling-film* Oergell—*refrigerator*
Ffrwyth—*fruits* Gwydrau gwin—*wine glasses* Rhewi—*freeze* Gwynwy—*egg white*
Ymylon—*rims* Sychu—*dry* Sprigyn—*a sprig* Mintys ffres—*fresh mint.*

86. Cyw Iâr gyda Saws Taragon

CYNHWYSION—digon i 4

4 darn cyw iâr neu gyw iâr cyfan
1 twb bach hufen dwbl
1 llond llwy de o daragon wedi ei sychu
ychydig bach o bowdr stoc cyw iâr (neu ½ ciwb stoc)
½ llond llwy de o flawd corn wedi ei gymysgu â dŵr
pupur a halen

DULL

1. Coginio'r cyw iâr neu'r darnau cyw iâr mewn menyn neu olew gyda phupur a halen yn y ffwrn *(nwy 5 neu 180°C)* am 1-1½ awr *(dibynnu ar faint y cyw iâr)*. Cofiwch orchuddio'r cig â phapur gloyw neu gaead y tun rhostio.
2. I wneud y saws, dylid cynhesu'r hufen mewn padell neu sosban fach ac ychwanegu'r taragon a'r powdr neu giwb stoc *(mae'n well cymysgu hwn gyda'r mymryn lleiaf o ddŵr poeth cyn ei ddefnyddio)*.
3. Ychwanegu'r blawd corn mewn dŵr, er mwyn i'r saws dewychu ychydig *(hefyd mae yn rhwystro i'r hufen geulo)*. Troi'r saws drwy'r amser ar ôl ychwanegu'r blawd corn. Rwyf yn hoffi defnyddio chwisg swigen i wneud sawsiau—mae'n arbed i chi gael lympiau.
4. I'w weini, dylid rhoi ychydig o saws ar blât cynnes a rhoi darn neu dafelli o gyw iâr arno. Defnyddio persli neu ferwr dŵr fel addurn. Fe ellir tywallt y saws dros y cyw iâr os dymunir.

GEIRFA

Cyw iâr—*chicken* Darn o gyw iâr—*chicken joint* Taragon wedi ei sychu—*dried tarragon* Papur gloyw—*kitchen foil* Blawd corn—*cornflour* Ceulo—*curdle* Chwisg swigen—*balloon whisk* Tafelli o gyw iâr—*slices of chicken* Berwr dŵr—*watercress*

87. Cwpanau Siocled Gwyn

digon i 8

DYMA'R pwdin i bobl sy'n hoffi pethau melys! Gwell cadw'r siocled gwyn o'r golwg os oes gennych blant neu fe fydd wedi diflannu cyn i chi cael siawns i'w ddefnyddio. Byddaf yn defnyddio papurau cacennau bach i gael siâp y cwpanau; mae'n bwysig eich bod yn talu tipyn yn fwy i gael rhai o ansawdd da—rhai sydd yn cynnwys mwy o wêr. Bydd yn haws wedyn eu tynnu oddi ar y siocled.

CYNHWYSION

1 owns/25 gram siocled gwyn i bob person
¼ peint/150 ml o hufen dwbl
3 llond llwy fwrdd o gaws lemwn (defnyddiwch un a digon o flas lemwn naturiol arno)
mafon ffres neu unrhyw ffrwythau ffres mewn tymor

DULL

1. Meddalu'r siocled gwyn. Byddaf i yn ei roi mewn powlen yn y microdon am funud neu ddau. Gellir rhoi'r bowlen dros sosbanaid o ddŵr poeth os nad oes gennych ficrodon.
2. Cymysgu'r siocled yn dda, a chan ddefnyddio llwy de, gorchuddio gwaelod ac ochrau'r papurau cacennau bach gyda'r siocled. Byddaf bob amser yn gwneud dwy gwpan yn fwy na sydd eu hangen rhag ofn i rai dorri wrth dynnu'r papur i ffwrdd.
3. Gadael i'r cwpanau siocled galedu. Gwell eu rhoi ar dun coginio yn yr oergell dros nos.
4. Tynnu'r papurau yn ofalus oddi wrth y cwpanau siocled.
5. Chwipio'r hufen dwbl nes y bydd wedi tewychu ac ychwanegu'r caws lemwn yn ofalus. Mae fforc yn gwneud y gwaith hwn yn haws.
6. Peipio'r hufen i mewn i'r cwpanau siocled neu gellir defnyddio llwy de i wneud y gwaith.
7. Addurno'r cwpanau gyda mafon ffres os yn bosibl. Gellir defnyddio segmentau oren, ffrwyth ciwi neu rawnwin du hefyd.
8. Byddaf weithiau yn gweini'r cwpanau yn sefyll mewn hylif mafon—mae hyn yn edrych yn ddeniadol iawn.

9. Gweinir y cwpanau ar soseri bach, er enghraifft, soseri ar gyfer cwpanau coffi.

GEIRFA

Cwpanau siocled gwyn—*white chocolate cups* Papurau cacennau bach—*paper cake cases* Gwêr—*wax* Hufen dwbl—*double cream* Caws lemwn—*lemon cheese* Microdon—*microwave* Gorchuddio—*cover* Oergell—*refrigerator* Chwipio—*whip* Peipio—*pipe* Mafon—*raspberries* Hylif mafon—*raspberry purée*

Cinio Priodas Ruddem

Y Fwydlen

Cawl Afalau Cariad a Phupur Coch *(rysáit rhif 88)*

* * * * * *

Eog gyda Saws Corgimychiaid *(rysáit rhif 25)*

neu

Cig Oen mewn Gwin a Chwrens Coch *(rysáit rhif 89)*
Tatws Rhost *(rysáit rhif 79)*
Pys Ffrengig *(rysáit rhif 75)*
Bwydlys Gwyrdd *(rysáit rhif 42)*

* * * * * *

Salad Ffrwythau Coch *(rysáit rhif 90)*

neu

Gellyg mewn Gwin Coch *(rysáit rhif 30)*

* * * * * *

Coffi gyda mintys siocled

* * * * * *

Coch yw thema y bwydydd hyn. Rhaid bod yn ofalus nad oes dau goch gwahanol ar y bwrdd yr un pryd neu fe fyddant yn gwrthdaro. Felly teimlaf mai gwell yw cadw'r lliain yn wyn neu yn las tywyll iawn. Gellir defnyddio rhosynnau coch fel blodau ond peidiwch â gor-wneud y lliw coch.

88. Cawl Afalau Cariad a Phupur Coch

digon i 5-6

GWELAIS yr enw Afal Caru ar domato flynyddoedd yn ôl pan oeddwn yn y Coleg yng Nghaerdydd, ar fwydlen Cinio Gŵyl Ddewi y Gymdeithas Gymraeg. Mae'n rhaid i mi gyfaddef nad oeddwn yn gwybod beth i'w ddisgwyl a siomiant mawr oedd y cawl tomato dyfrllyd a gawsom! Gobeithio'n fawr na chewch chi eich siomi yn y cawl blasus, lliwgar yma. Nid yw yn gawl rhad i'w wneud ond mae'n addas ar gyfer pryd arbennig.

CYNHWYSION

1 pwys/400 gram tomatos ffres
8 owns/200 gram pupur coch
8 owns/200 gram nionod
1 owns/25 gram menyn
1 peint/600 ml stoc llysiau neu gyw iâr
1 llond llwy de o oregano
3 llond llwy fwrdd o sôs coch *(ketchup)*
pupur a halen os oes angen

DULL

1. Torri'r tomatos yn fras a'u rhoi mewn sosban go fawr.
2. Torri'r pupur coch yn ei hanner, cael gwared o'r hadau ac yna ei dorri'n ddarnau bras a'u rhoi yn y sosban.
3. Tynnu'r croen oddi ar y nionod, eu torri'n fras a'u rhoi yn y sosban gyda gweddill y llysiau.
4. Ychwanegu'r menyn a chwysu'r llysiau dros wres cymedrol am oddeutu 3 munud.
5. Ychwanegu'r stoc, yr oregano a'r sôs coch ac ychydig o bupur a halen a berwi'r cawl ar wres uchel ac yna troi'r gwres i lawr a'i ferwi'n araf am 30 munud. *(Gwnewch yn siŵr fod y pupur a'r nionod yn feddal.)*
6. Dodi'r cawl mewn prosesydd bwyd neu hylifydd. Byddaf wedyn yn ei hidlo hefyd er mwyn cawl gwared o hadau'r tomato ac unrhyw ddarnau bach caled o groen. Ei roi yn ôl mewn sosban lân a'i dwymo. Ei brofi rhag ofn fod angen mwy o bupur a halen.

7. Gweinir mewn powlenni cynnes ac, os yw'n achlysur arbennig, mae'n werth gwneud rhosynnau tomato i nofio ar wyneb y cawl gyda thameidiau o bersli neu ddeilen neu ddwy o ferwr dŵr fel dail i'r rhosyn. Byddaf yn hoffi bara hir, caled *(breadsticks)* Eidalaidd gyda'r cawl arbennig yma.

Gwneud Rhosynnau Tomato

a) Defnyddio cyllell ddanheddog i lifio croen y tomato yn denau mewn stribyn hir heb ei dorri yn dechrau o dop y tomato.
b) Rholio'r croen tenau i fyny fel ei fod yn edrych yn debyg i rosyn.
c) Gwasgu'r pen at weddill y rhosyn fel ei fod yn glynu ac yn rhwystro'r rhosyn rhag ailagor.
ch) Defnyddir y rhain i addurno llawer o seigiau. Maent yn arbennig o ddeniadol ar fwrdd bwffe.

GEIRFA

Afalau cariad—*tomatoes* Pupur coch—*red pepper* Bwydlen—*menu* Nionod—*onions*
Stoc llysiau—*vegetable stock* Stoc cyw iâr—*chicken stock* Bras—*fairly large*
Chwysu—*sweat (to fry in fat for a few minutes, tossing with a spoon to draw out flavours)*
Gwres cymedrol—*moderate heat* Prosesydd bwyd—*food processor* Hylifydd—*liquidiser*
Hidlo—*strain* Berwr dŵr—*watercress* Cyllell ddanheddog—*serrated knife* Llifio—*saw*

89. Cig Oen mewn Gwin a Chwrens Coch

digon i 6-8

MAE'R dull o wneud y saig yma yn debyg iawn i'r dull o baratoi Cig Oen mewn Mêl a Seidr ond mae ei ymddangosiad terfynol a'i flas yn bur wahanol.

CYNHWYSION

coesyn cyfan o gig oen Cymreig (Gofynnwch i'ch cigydd dynnu'r asgwrn a rholio'r cig. Gellir defnyddio golwython cig oen pe dymunir.)
potel o win coch rhad
2 lond llwy de o rosmari wedi ei sychu neu sprigyn o rosmari ffres
1½ **potyn bach o jeli cwrens coch** (Mae'r jeli yma yn cael ei werthu mewn potiau bach fel arfer.)
1 ciwb stoc cyw iâr
ychydig o bupur a halen
oddeutu 2 lond llwy fwrdd o flawd corn wedi ei gymysgu gyda dŵr
cwrens coch ffres neu wedi eu rhewi, i addurno

DULL

1. Rhoi'r cig mewn tun rhostio a thywallt y gwin coch hyd at hanner ffordd i fyny'r cig. Os ydych yn defnyddio golwython, gorchuddiwch hwynt gyda'r gwin coch.
2. Rhoi'r rhosmari ac ychydig o bupur a halen dros y cig.
3. Gorchuddio'r cig â phapur gloyw neu orchudd eich tun rhostio. Coginio'r cig yn araf *(rhif 4 nwy/170°C)* am oddeutu 4 awr—nes y bydd y cig yn frau iawn. Bydd angen coginio'r golwython am oddeutu 1½-2 awr. Mae'n bwysig edrych ar y cig o bryd i'w gilydd rhag ofn i'r gwin sychu. Ychwanegwch fwy o win os oes angen. Os nad oes gwin ar ôl ychwanegwch ddŵr a chodi'r hylif dros y cig gyda llwy i'w gadw'n wlyb.
4. Pan fo'r cig yn barod, gellir ei dorri'n haenau a'i gadw'n gynnes wedi ei orchuddio â phapur gloyw tra bydd y saws yn cael ei baratoi. Mae ffordd arall o wneud hyn yn cael ei ddisgrifio o dan pwynt 4 yn y rysáit ar gyfer Cig Oen mewn Mêl a Seidr *(rysáit rhif 16)*.

5. Cynhesu'r hylif coginio ac ychwanegu'r jeli cwrens coch a'r ciwb stoc. Ychwanegu oddeutu hanner y blawd corn a'r dŵr a'i chwisgio'n galed nes i'r saws ferwi. Os nad yw'r saws yn ddigon tew, yna ychwanegwch fwy o'r blawd corn a'r dŵr nes iddo gyrraedd y trwch a ddymunir. Blasu'r saws ac ychwanegu mwy o halen, os oes angen.
6. Cynhesu'r cig yn yr un modd ag ym mhwynt 6 yn y rysáit ar gyfer Cig Oen mewn Mêl a Seidr *(rysáit rhif 16).*
7. Gweinir y cig ar ben ychydig o'r saws neu gellir tywallt y saws dros y cig. Addurno â sprigyn o gwrens coch ffres neu ychydig o gwrens coch wedi eu rhewi *(ac wedi eu dadmer!)* a darnau bach o bersli. Mae lliw hyfryd ar y cig ar ôl ei goginio yn y gwin coch.

GEIRFA

Gwin coch—*red wine* Cwrens coch—*redcurrants* Jeli cwrens coch—*redcurrant jelly*

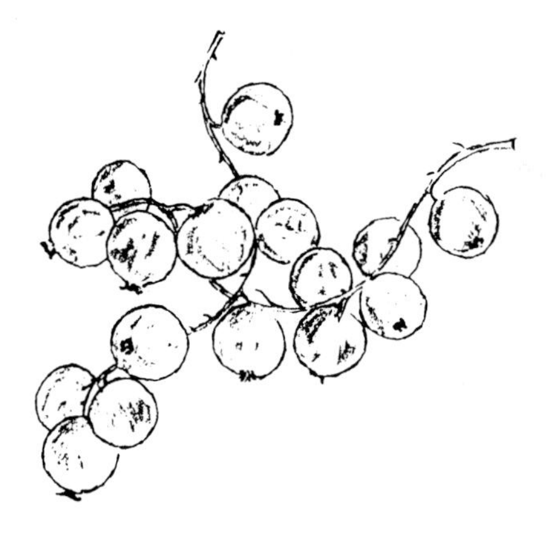

90. Salad Ffrwythau Coch

digon i 6

DYMA bwdin addas iawn ar gyfer Cinio Priodas Ruddem, oherwydd y lliw bendigedig. Yr wyf yn gweini'r salad ffrwythau yma mewn dysgl wydr binc ac mae'n edrych yn ddeniadol iawn. Wrth gwrs, pwdin tymor yr haf yw hwn, fel y gwelwch oddi wrth y cynhwysion.

CYNHWYSION

12 owns/300 gram mefus ffres
8 owns/200 gram mafon ffres
8 owns/200 gram ceirios ffres
4 owns/100 gram grawnwin du
4 owns/100 gram siwgr mân
2 lond llwy fwrdd o Cointreau

DULL

1. Torri'r mefus yn eu hanner neu yn eu chwarter—gan ddibynnu ar eu maint. Eu rhoi mewn powlen gymysgu.
2. Rhoi'r mafon yn gyfan yn y bowlen.
3. Torri'r ceirios yn eu hanner a thynnu'r cerrig allan. Rhoi'r ceirios yn y bowlen. *(Mae teclyn bach arbennig ar gael i dynnu cerrig ceirios a gadael y ffrwyth yn gyfan.)*
4. Haneru'r grawnwin, tynnu'r hadau a rhoi'r grawnwin yn y bowlen.
5. Cymysgu'r siwgr mân gyda'r ffrwythau yn ofalus.
6. Gorchuddio'r bowlen â phapur glynu a'i rhoi yn yr oergell am 1 awr. Yn ystod yr amser hwnnw, troi'r ffrwyth yn y siwgr o leiaf unwaith er mwyn tynnu'r sudd o'r ffrwythau.
7. Ychydig cyn ei weini, ychwanegu'r *Cointreau.*
8. Rwyf i yn paratoi hufen blas oren i'w weini gyda'r salad ffrwythau yma—chwisgio ¼ peint/150 ml hufen dwbl gyda 2 lond llwy de o siwgr mân, 1 llond llwy de o groen oren wedi ei ratio'n fân ac 1 llond llwy fwrdd o *Cointreau.*

GEIRFA

Salad ffrwythau coch—*Red or ruby fruit salad* Cinio Priodas Ruddem—*Ruby Wedding dinner*
Mefus—*strawberries* Mafon—*raspberries* Ceirios—*cherries* Grawnwin du—*black grapes*
Siwgr mân—*caster sugar* Teclyn—*gadget* Papur glynu—*cling-film* Oergell—*refrigerator* Sudd—*juice*

Cinio Priodas Aur

Y Fwydlen

Rwlâd Bara Lawr *(rysáit rhif 91)*

neu

Melwn Myrddin *(rysáit rhif 7)*

* * * * * *

Porc gyda Saws Eirin Gwlanog *(rysáit rhif 92)*

neu

Hwyaden gyda Saws Oren a Gwin Gwyn *(rysáit rhif 19)*
Tatws Pencarreg *(rysáit rhif 36)*
Moron Gwydrog *(rysáit rhif 72)*
Courgettes wedi eu ffrio mewn menyn

* * * * * *

Crempog Cân-y-Delyn *(rysáit rhif 31)*

* * * * * *

Coffi gyda petits fours (bisgedi bach almwn) *(rysáit rhif 93)*

* * * * * *

Rwyf wedi cadw'r bwydydd yn felyn neu oren o ran lliw. Wrth gwrs, gellir ychwanegu at y thema aur gyda chanhwyllau, blodau a napcynau. Gellir hefyd ddefnyddio addurniadau pres neu gopr i ychwanegu at yr awyrgylch. Mae *petits fours* ar gael mewn siopau bwyd arbennig neu, wrth gwrs, fe ellir gwneud rhai cartref.

91. Rwlâd Bara Lawr

digon i 4 fel prif gwrs
digon i 6 fel cwrs cyntaf

DYMA saig sy'n addas fel prif gwrs ysgafn neu fel cwrs cyntaf. Gellir ei weini'n boeth neu yn oer.

CYNHWYSION

8 owns/200 gram bara lawr (Os nad ydych yn byw mewn ardal lle gellir ei brynu'n ffres, gellir ei gael mewn tun wedi ei baratoi gan gwmni *Drangway* o Abertawe.)
½ owns/13 gram menyn
4 wy maint 3 wedi eu gwahanu
pinsiad o nytmeg wedi ei ratio'n fân
ychydig o bupur a halen
2 owns/50 gram caws Teifi wedi ei ratio'n fân

DULL

1. Gorchuddio gwaelod ac ochrau tun coginio 20 x 30 cm/8 x 12 modfedd â phapur gwrth-lud.
2. Cynhesu'r bara lawr gyda'r menyn ac yna curo'r melynwy i mewn i'r cymysgedd.
3. Chwisgio'r gwynwy.
4. Cymysgu'r gwynwy i mewn i'r bara lawr yn ysgafn ac yna ei roi yn y tun. Taenellu hanner y caws dros ei wyneb.
5. Ei goginio ar nwy 5/190°C am oddeutu 10-12 munud nes y bydd yn teimlo'n solet.
6. Ar ôl ei dynnu o'r ffwrn, ei orchuddio â chadach tamp ac yna ei droi allan ar bapur gwrth-saim gyda gweddill y caws wedi ei daenellu drosto.
7. Taenu'r llenwad dros y rwlâd ac yna ei rolio i fyny fel rholen jam.
8. Torri'r rholen yn gylchoedd. Gweinir dau ddarn fel prif gwrs ysgafn ac un darn fel cwrs cyntaf. Gellir ei fwyta yn boeth neu yn oer. Os ydych am ei fwyta'n boeth, gellir llenwi'r rwlâd â Saws Gwyn Sawrus *(rysáit rhif 5)* gyda chynhwysion eraill wedi eu hychwanegu ato. Os yw'r rwlâd yn cael ei weini'n oer, defnyddir *mayonnaise* i wneud y llenwad. Addurno â berwr dŵr, lemwn, corgimychiaid neu fwydlys ochr.

Enghreifftiau o Lenwadau

a) Wy wedi ei ferwi'n galed gyda berwr mewn *mayonnaise.*
b) Tiwna gyda *mayonnaise.*
c) Cig moch wedi ei ffrio'n grimp a sibols mewn *mayonnaise* neu saws gwyn.
ch) Madarch a chorgimychiaid mewn saws gwyn.

GEIRFA

Rwlâd—*roulade* Bara lawr—*laverbread* Menyn—*butter* Wy—*egg* Nytmeg—*nutmeg*
Papur gwrth-lud—*non-stick paper* Chwisgio—*whisk* Gwynwy—*egg white* Melynwy—*egg yolk*
Taenellu—*sprinkle* Papur gwrth-saim—*greaseproof paper* Taenu—*spread*
Rholen jam—*Swiss roll* Cylchoedd—*circles* Ychwanegiadau—*additions*
Berwr dŵr—*Watercress* Corgimychiaid—*prawns* Bwydlys ochr—*side salad* Llenwad—*filling*
Berwr—*cress* Tiwna—*tuna* Sibols—*spring onions* Cig moch—*bacon* Ffrio'n grimp—*fry until crisp*
Saws gwyn—*white sauce* Madarch—*mushrooms*

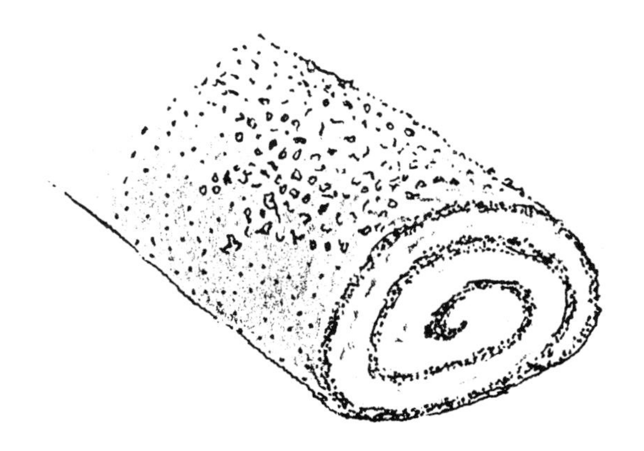

92. Porc gyda Saws Eirin Gwlanog

digon i 6

CYNHWYSION

6 golwyth porc
1 tun mawr o eirin gwlanog mewn syrup
1 darn garlleg
1 nionyn mawr
pupur a halen
2 lond llwy fwrdd o hufen ffres

DULL

1. Torri cymaint o fraster ag sydd yn bosibl oddi ar y golwython porc.
2. Eu rhoi mewn tun rhostio neu ddysgl addas i'w rhoi yn y popty.
3. Tynnu'r croen a thorri'r nionyn yn fras i'w roi dros y porc.
4. Tynnu croen y darn garlleg a'i wasgu dros y porc.
5. Arllwys yr eirin gwlanog gyda'r syrup dros y cynhwysion eraill ac ychwanegu ychydig o bupur a halen.
6. Rhoi'r ddysgl yn y popty ar nwy 5/190°C am oddeutu 1½ awr—nes y bydd y golwython wedi coginio a breuo'n ddigonol.
7. Tynnu'r cig o'r ddysgl a'i gadw'n gynnes.
8. Os oes llawer o saim wedi hel ar yr wyneb, rhaid ei dynnu oddi arno gyda llwy. Tywallt y cymysgedd o'r ddysgl i'r prosesydd bwyd a'i weithio nes cael hylif hufennog llyfn.
9. Rhoi'r hylif *(neu'r saws, bellach)* mewn padell neu sosban a'i gynhesu ac ychwanegu'r hufen. Ei flasu i weld a oes angen mwy o bupur a halen.
10. Rhoi'r golwython porc ar blatiau a'u gorchuddio â'r saws.
11. Eu haddurno â phersli ffres wedi ei dorri'n fân.

Mae hon yn saig flasus ac yn hynod o hawdd i'w pharatoi.

GEIRFA

Golwyth—*chop or steak* Eirin gwlanog—*peaches* Syrup—*syrup* Garlleg—*garlic* Nionyn—*onion* Hufen ffres—*fresh cream* Braster—*fat* Gwasgu—*squeeze* Breuo—*tenderise* Saim—*fat* Prosesydd bwyd—*food processor* Hylif—*liquid* Hufennog—*creamy* Llyfn—*smooth* Cynhesu—*to warm* Blasu—*taste* Gorchuddio—*cover* Addurno—*garnish* Hawdd—*easy*

93. Bisgedi Bach Almwn

GELLIR prynu *petits fours* yn y siopau ond os ydych am baratoi rhai eich hunan, dyma rysáit hawdd a didrafferth. Mae'n werth peipio'r bisgedi i gael siâp da arnynt.

CYNHWYSION

7 owns/175 gram almwnau wedi eu malu yn bowdr
5 owns/125 gram siwgr mân
1 llond llwy de o jam bricyll
2 wynwy
½ llond llwy de o rin fanila
ceirios glacé i addurno neu ddarnau o gnau almwn

Sglein

1 llond llwy fwrdd o siwgr eisin
2 lond llwy fwrdd o ddŵr

DULL

1. Cymysgu'r almwnau wedi eu malu gyda'r siwgr a'r jam bricyll.
2. Chwipio'r gwynwy yn ysgafn ac ychwanegu digon ohono i'r cymysgedd fel bo'r cymysgedd yn ddigon trwchus i ddal ei siâp wrth gael ei beipio.
3. Ychwanegu a chymysgu'r rhin fanila.
4. Rhoi darn o bapur gwêr ar dun coginio a pheipio'r cymysgedd ar siâp rhosynnau.
5. Addurno gyda cheirios *glacé* neu gnau almwn.
6. Coginio am 15 munud ar nwy 4/170°C nes bydd yr ymylon wedi dechrau troi'n frown. Peidiwch â'u gor-frownio neu bydd blas llosgi arnynt.
7. Twymo'r dŵr a'r siwgr eisin gyda'i gilydd a brwsio'r sglein dros y bisgedi bach tra maent yn dal yn boeth.
8. Eu gweini mewn powlen felysion gyda'r coffi.
9. Mae'r bisgedi yn cadw'n dda am o leiaf wythnos mewn tun caeedig.

GEIRFA

Almwn—*almond* Siwgr mân—*caster sugar* Jam bricyll—*apricot jam*
Rhin fanila—*vanilla essence* Ceirios glacé—*glacé cherries* Siwgr eisin—*icing sugar*
Chwipio—*whip* Peipio—*pipe* Addurno—*decorate* Llosgi—*burn* Sglein—*glaze*
Powlen felysion—*bon-bon dish*

Cinio Cymreig

(ar gyfer Dydd Gŵyl Dewi)

Y Fwydlen

Cawl Cennin Hufennog *(rysáit rhif 10)*

* * * * * *

Cig Oen mewn Mêl a Seidr *(rysáit rhif 16)*
Tatws Pencarreg *(rysáit rhif 36)*
Moron
Ysgewyll Brwsel gyda Briwsion wedi eu crasu *(rysáit rhif 39)*

* * * * * *

Ffŵl Eirin a Sinamon *(rysáit rhif 28)*

neu

Tarten Ffrwythau (riwbob) a hufen *(rysáit rhif 58)*

* * * * * *

Coffi gyda Phice ar y Maen *(rysáit rhif 94)*

* * * * * *

Dyma fwydlen sydd yn addas iawn os oes gennych bobl o wlad dramor yn dod i ginio a hefyd, mae'n fwydlen arbennig ar gyfer Dydd Gŵyl Dewi. Cofiwch addurno'r bwrdd gyda chennin Pedr ac unrhyw beth arall sydd yn addas i'r thema Gymreig.

94. Pice ar y Maen

MAE hwn yn rysáit gweddol gyfoethog ac nid yw'r pice yn hawdd iawn i'w trin wrth eu coginio—ond mae'r blas yn arbennig ac maent yn cadw yn dda mewn tun caeedig a hefyd yn rhewi'n dda.

CYNHWYSION

8 owns/200 gram blawd codi gwyn
4 owns/100 gram margarîn
4 owns/100 gram siwgr mân
2 owns/50 gram swltanas
½ llond llwy de sbeis cymysg
1 wy maint 3
menyn i ffrio

DULL

1. Rhwbio'r blawd, y margarîn a'r siwgr mân gyda'i gilydd nes y byddant yn ymdebygu i friwsion bara. *(Mae ychwanegu'r siwgr yn gwneud y gwaith hwn yn haws).*
2. Ychwanegu'r sbeis â'r swltanas a'u cymysgu i mewn.
3. Gyda chyllell, cymysgu'r wy *(wedi ei guro'n barod)* i mewn i'r cynhwysion eraill i'w tynnu at ei gilydd.
4. Gyda rholbren, rholio'r toes nes y bydd oddeutu ¼ modfedd o drwch a thorri cylchoedd gyda thorrwr crwst.
5. Iro padell ffrio drom neu radell gyda menyn a choginio'r cacennau dros wres cymedrol am tua 2 funud bob ochr.
6. Oeri'r pice a thaenellu siwgr mân drostynt cyn eu gweini.

95-99. Bwffe i Griw o Bobl

MAE tipyn o waith paratoi bwffe ond o leiaf gellir paratoi'r bwyd ymlaen llaw ac ymlacio a mwynhau'r achlysur pan fydd y gwesteion yn cyrraedd. Dyma'r bwffe yr oeddwn yn ei baratoi i bartïon o ymwelwyr i Nant Gwrtheyrn. Mae yma ddigon o ddewis ac rwyf hefyd yn gwneud defnydd o gynnyrch Cymru. Wrth gwrs, nid oes rhaid paratoi'r cyfan ond mae'n bwysig cadw cydbwysedd rhwng y seigiau cig, y pysgod a'r llysiau.

Byddaf yn rhoi menyn, pupur a halen, blaslyn bwydlys Ffrengig a *mayonnaise* ar y bwrdd er mwyn i bobl helpu'u hunain.

Gellir lapio'r offer bwyta mewn napcynau a'u rhoi gyda'r platiau ar un pen i'r bwrdd neu, yn fy nhyb i, mae'n well dewis dau le i roi'r platiau a'r offer bwyta rhag cael tagfa. Rwy'n hoffi cael bwrdd y gall pobl gerdded bob ochr iddo er mwyn rhoi yr un mathau o fwyd y ddwy ochr iddo fel bod mwy o bobl yn gallu dewis y bwydydd yn gyflymach. Gweinir y pwdinau oddi ar fwrdd arall a choffi o fan gweini arall eto. Mae'n hynod bwysig cynllunio bwffe yn ofalus iawn, os ydyw yn mynd i fod yn un llwyddiannus. Ni fyddaf i'n rhoi'r bwyd i gyd allan gyda'i gilydd. Pan welaf un plât yn gwagio, byddaf yn gosod un llawn yn ei le. Mae'r bwrdd a'r bwydydd yn parhau i edrych yn ddeniadol drwy'r pryd. Gwell gennyf fod y tu ôl i'r bwrdd pwdinau yn eu gweini oherwydd yn aml nid yw pobl yn hoffi torri cacennau ac arllwys yr hufen eu hunain. Efallai bod arnynt ofn ymddangos yn farus o flaen eu ffrindiau!

Gwell cael rhywun i gynorthwyo gyda'r gwin. I ddechrau, rhoi cymysgedd o winoedd gwyn, coch a lliw rhosyn mewn gwydrau yn barod ar fwrdd bach ar ben y bwrdd bwffe mawr. Gellir mynd o amgylch wedyn i ail-lenwi'r gwydrau.

Cofiwch agor cymaint o ystafelloedd ag sy'n bosibl rhag i'r lle fynd yn rhy lawn ac yn rhy boeth. Mae angen cadeiriau a byrddau bach o gwmpas i bobl naill ai eistedd i lawr neu o leiaf gael lle i roi eu gwydrau gwin i lawr neu gael gwared o'u platiau gwag.

Addasiadau o ryseitiau a roddwyd eisoes yn y llyfr yw'r pedair saig gyntaf.

Bwffe Oer

Y Fwydlen

Rholiau Ham gyda Chaws Hufennog *(rysáit 95)*
Coesau Cywion Ieir *(rysáit rhif 96)*
Cig oen mewn Mêl a Seidr *(rysáit rhif 16)*
Pâté Macrell wedi ei fygu *(rysáit rhif 12)*
Corgimychiaid gyda Saws Coctel *(rysáit rhif 97)*
Melwn Myrddin *(rysáit rhif 7)*
Selsig Morgannwg gyda phicl *(rysáit rhif 12)*
Cornedau Salami gydag Olewydd *(rysáit rhif 98)*
Plataid i'r Llysieuwyr *(rysáit rhif 99)*
Bwydlys Cymysg *(rysáit rhif 41)*
Bwydlys Bresych *(rysáit rhif 43)*
Bwydlys Reis *(rysáit rhif 57)*
Tatws trwy'u crwyn neu Roliau bara

* * * * * *

Ffŵl Eirin a Sinamon *(rysáit rhif 28)*
Cacen Goffi a Tia Maria *(rysáit rhif 33)*
Cawsiau Cymreig

* * * * * *

Coffi

Cig Oen mewn Mêl a Seidr (digon i 12)

Mae hwn yn anarferol ar fwrdd bwffe a gallaf eich sicrhau ei fod yn boblogaidd iawn.

a) Coginio'r cig oen fel yn rysáit rhif 16.
b) Gadael iddo oeri a'i dorri'n haenau tenau.
c) Rhoi'r haenau cig oen i ddarnguddio ei gilydd ar blât mawr crwn.
ch) Rhoi powlen fach o jeli mintys yng nghanol neu wrth ochr y plataid o gig oen.
d) Taenellu berwr dros y cig.

Pâté Macrell wedi ei fygu

a) Rhoi'r *pâté* mewn cynhwysydd rhewgell a'i roi yn yr oergell dros nos.
b) Troi'r *pâté* allan o'r cynhwysydd ar blât addas.
c) Ei addurno â thameidiau bychain o bersli ffres a darnau bach siâp triongl o lemwn.

Peli Melwn Myrddin

a) Mae angen teclyn arbennig i dorri siâp peli o'r melwn. Melwn Honeydew yw'r math gorau ar gyfer y rysáit yma.
b) Paratoi'r pupur a'r blaslyn bwydlys fel yn rysáit rhif 7.
c) Rhoi'r peli melwn ar blât gydag ymyl iddo.
ch) Rhoi'r pupur mewn blaslyn bwydlys dros y peli melwn.
d) Torri ham Caerfyrddin yn ddarnau bychain a'u rhoi dros y peli melwn a'r pupur.

Selsig Morgannwg gyda phicl

a) Gwneud selsig maint 1 owns/25 gram fel yn rysáit rhif 12.
b) Gadael iddynt oeri a'u gosod mewn llinellau.
c) Dodi 2 bowlen o bicl ymhob pen i'r plât. Mae picl eirin yn flasus iawn gyda hwy *(rwyf yn defnyddio un sydd yn cael ei wneud gan gwmni enwog o'r Alban)*. Mae picl tomato yn gweddu'n eithaf hefyd.

95. Rholiau Ham gyda Chaws Hufennog—1 i bob person

Os ydych am ferwi'r ham eich hunan, cofiwch ei fwydo am rai oriau mewn dŵr oer cyn ei ferwi, rhag iddo fod yn or-hallt. Os ydych eisiau ei dorri'n haenau tenau, gwell ei adael i sefyll yn yr oergell dros nos i sadio.

a) Mae angen un rholyn i bob person.
b) Taenu caws hufennog plaen neu un gyda blas wedi ei ychwanegu ato dros wyneb y darn ham cyn ei rolio.
c) Rhoi'r rholiau ham wrth ochr ei gilydd ar bapur dysgl ar blât crwn i wneud siâp olwyn.
ch) Byddaf yn torri pupur coch, gwyrdd a melyn yn fân iawn a'u taenellu dros y rholiau ham i'w haddurno.

96. Coesau Cywion Ieir—1 i bob person

a) Rhostio'r coesau cywion ieir a'u rhoi i oeri ar bapur amsugnol i gael gwared o unrhyw saim sy'n weddill. Nid yw'n syniad da eu coginio ddiwrnod ynghynt a'u rhoi yn yr oergell gan fod y croen yn dueddol o grebachu.
b) Rhoi'r coesau ar bapur dysgl ar blât mawr hirgrwn i wneud siâp olwyn.
c) Torri cymysgedd o rawnwin du a gwyrdd yn eu hanner ac ar ôl tynnu'r hadau, eu taflu dros y cyw iâr.
ch) Gellir rhoi clwstwr o ferwr dŵr ar ganol y plât.

97. Corgimychiaid gyda Saws Coctel

Mae dwy ffordd o weini'r rhain.

a) Pentyrru'r corgimychiaid ar blât hirgrwn a thywallt y saws Ros-Mari yn stribyn hir destlus. Addurno â phersli wedi ei dorri'n fân, darnau o lemwn ac ychydig o bupur *paprika*.
b) Gwell gennyf i bentyrru'r corgimychiaid o amgylch plât neu hambwrdd mawr crwn gan adael lle yn y canol i jwg saws yn llawn o saws Ros-Mari. Addurno â darnau o bersli a darnau o lemwn.

I wneud y saws:
Ychwanegu hylif tomato gydag ychydig o Saws Caerwrangon i'r *mayonnaise*. Gellir torri ychydig o nionyn yn fân iawn iddo.

98. Cornedau Salami gydag Olewydd

a) Tynnu'r croen allanol oddi ar haenau tenau o salami.
b) Torri un toriad i ganol y darn cig.
c) Rholio'r cig i wneud siâp corned. Gwasgu'r cyswllt rhag i'r corned agor.
ch) Gosod y cornedau yn glòs at ei gilydd mewn dysgl fas.
d) Rhoi cymysgedd o ddarnau o olewydd yn y cornedau—rhai du y tu mewn i rai a rhai gwyrdd yn y gweddill.

99. Plataid i'r Llysieuwyr

a) Torri wyau wedi eu berwi'n galed yn haenau tenau. Gorchuddio gwaelod plât hirgrwn gyda'r darnau wyau yn darnguddio ei gilydd.
b) Gratio caws yn fras a gwneud llinellau taclus o gaws ar ben yr wyau.
c) Torri cnau Ffrengig yn fân a gwneud llinellau bob yn ail â'r caws—ond gadael i'r wyau ddangos ychydig hefyd.
ch) Dodi berwr dŵr oddi amgylch y plât.

GEIRFA

Cydbwysedd—*balance* Rholiau—*rolls* Caws hufennog—*cream cheese* Berwi—*boil* Mwydo—*soak*
Papur dysgl—*dish paper* Olwyn—*wheel* Pupur—*pepper* Taenellu—*sprinkle*
Coesau cywion ieir—*chicken drumsticks* Crebachu—*shrivel* Plât hirgrwn—*oval plate*
Grawnwin—*grapes* Berwr dŵr—*watercress* Anarferol—*unusual* Haenau—*slices*
Darnguddio—*overlap* Berwr—*cress* Cynhwysydd rhewgell—*freezer container*
Corgimychiaid—*prawns* Pentyrru—*heap* Stribyn—*strip* Hambwrdd—*tray*
Saws Caerwrangon—*Worcester sauce* Blaslyn bwydlys—*salad dressing* Selsig—*sausages*
Picl—*chutney* Cyswllt—*join* Cornedau—*cornets* Olewydd—*olives* Wyau—*eggs* Caws—*cheese*
Cnau Ffrengig—*walnuts* Offer bwyta—*cutlery* Tagfa—*jam (as in traffic)*
Cacennau—*cakes or gâteaux* Arllwys—*pour* Barus—*greedy*